CYSGOD RHYFEL

J. SELWYN LLOYD

Gwasg Gomer
1983

Argraffiad Cyntaf — Mehefin 1983

ISBN 0 85088 859 X

891.663

*Dymuna'r cyhoeddwyr gydnabod cymorth a chyfarwyddyd
Adrannau'r Cyngor Llyfrau Cymraeg a noddir gan
Gyngor Celfyddydau Cymru.*

*Argraffwyd gan J. D. Lewis a'i Feibion Cyf.,
Gwasg Gomer, Llandysul, Dyfed*

Dychmygol yw holl gymeriadau'r nofel hon.

PENNOD I

Pan fyddai'r gwynt yn chwythu oddi ar draed y meirw yng nghanol gaeaf a'r glaw mân yn chwipio'n swnllyd yn erbyn y ffenest, mi fyddwn wrth fy modd yn mynd i 'ngwely'n fuan. Ond ers pan ddywedodd Nain fod rhyfel am ddod nid oeddwn yn hoff iawn o gysgu ar fy mhen fy hun. Fe ddywedodd fy nhad ers misoedd fod yr hen Jyrmans yna yn siŵr o ddod yma a'n lladd ni i gyd rhyw ddiwrnod, ond un felly oedd fy nhad, yn dweud pethau digon digri weithiau, a fawr neb yn gwrando arno, meddai Mam.

Ond 'roedd Ifans yr Ysgol yn dweud fod pethau yn edrych yn ddigon hyll tua'r Cyfandir hefyd, ac er i Huw, fy mrawd, ddweud nad oedd Ifans yn llawn llathen fel pawb arall, fedrwn i ddim peidio â chredu geiriau y prifathro, rywsut.

Ni fyddai papur dyddiol yn dod i'n tŷ ni, dim ond y rhai wythnosol, yr *Herald* ar ddydd Llun a'r *Cymro* ar ddydd Iau. Yn ôl Nain 'doedd dim ond celwyddau noeth ynddyn nhw, y papurau dyddiol, ac ar y weiarles y byddai hi'n gwrando, os na fyddwn i wedi anghofio mynd â'r batri gwlyb i garej Ifan Saer. 'Roedd Nain yn grediniol y medrai rhywun ddibynnu ar yr hen weiarles. 'Doedd pobl y B.B.C. byth yn dweud celwydd, meddai hi.

Cafodd Huw fy mrawd andros o glustan nes ei

7

fod yn twymo gan Mam rhyw amser te am chwer-
thin am ben Nain, pan ddywedodd hi fod y
weiarles yn dweud fod rhyfel ar ei ffordd.

"Mi fydd yr hen Jyrmans yna yn ein bomio ni i
gyd," meddai hi'n sobor. "Mi fydd yr hen ero-
plêns yna yn dŵad nes bydd yr awyr yn ddu ac mi
fyddan nhw yn gollwng boms fel maen nhw'n ei
wneud yn Sbaen ac yn lladd pawb."

"Lladd pawb?" ebe Huw yn uchel. "Fedran
nhw ddim lladd pawb, siŵr, Nain. Be haru chi,
deudwch? Maen nhw yn gwneud erodrom fawr
yn Llaniago. Mi fydd yna lond y lle o Spitffeiars,
siŵr, i saethu'r Jyrmans yna i lawr i gyd."

Gafaelodd mewn llwy de oddi ar y bwrdd a
dechrau chwarae eroplêns â hi dros ben y bwrdd
a gwneud iddi fynd i lawr yn fflamau i gyd i ganol
y bowlen siwgwr, nes rhoddodd Mam gletsian
iddo a gwneud i'w glust dde gochi fel tomato o
siop Dic Ffrwythau.

'Roedd Huw druan wedi mwydro'n lân efo ero-
plêns ac am fynd yn beilot ar ôl iddo dyfu, meddai
ef. Ond nid oedd Mam yn fodlon o gwbl ac wedi
gwrthod yn lân iddo gael ymuno â'r A.T.C. yn y
Cownti.

"Ond maen nhw'n cael gwisgo iwnifform ac yn
cael mynd i fflïo ar ddydd Sadwrn, Mam,"
meddai, a welais i erioed mohono mor agos i grio.
"A maen nhw'n cael mynd i ffwrdd i'r gwersyll
yn yr haf ac yn cael . . ."

"Chei di ddim fflïo tra bydda i byw," oedd ateb
Mam. "Cadw di dy draed ar yr hen ddaear yma,
'ngwas i. Mi fyddi di'n saff fan honno."

Ar ôl i ni orffen bwyta ac wedi i Mam fynd i'r cefn i olchi'r llestri a Nain i'r cwt bach ym mhen draw'r ardd, dyma Huw yn rhoi cic i'r gath ac yn dweud, "Mi fydda i yn mynd i'r Er Ffors cyn gynted ag y bydda i'n ddeunaw oed, i ti. 'Does yna'r un blydi dynas yn mynd i fy rhwystro i rhag bod yn beilot i saethu Jyrmans."

'Roedd yn gas gen i glywed Huw yn galw Mam yn 'blydi dynas' ond fedrwn i ddim dweud hynny wrtho, gan ei fod yn fwy na fi. A phan oedd wedi gwylltio 'roedd gen i ei ofn. Arferai blygu fy mraich yn ôl a gafael rhwng fy nghoesau i a gwasgu nes y byddai ôl ei fysedd yn las yno am oriau.

Dyna'r tro cyntaf i mi glywed Huw yn crio yn ei wely. Nid crio am fod arno ofn i'r gelyn ddod i'n bomio fel fi yr oedd o 'chwaith, ond crio am fod Mam wedi ei rwystro rhag ymuno â'r A.T.C. yn y Cownti.

"Mi aeth Robin Tŷ Bach i Sbaen i gwffio," meddai, pan oeddem ar ben y grisiau. "'Roedd o yn beilot ac mi gafodd o fedal am fflïo. Mae ei fam o wedi ei dangos i mi. Mae hi'n hongian yn y cwpwrdd dresal wrth ochr medalau ei dad o o'r Rhyfel Mawr."

Cofiais fod Robin Tŷ Bach wedi marw hefyd. Fe'i saethwyd i lawr yn Sbaen a gyrrwyd ei gorff adref mewn eroplên arall ac Iwnion Jac newydd wedi ei chlymu'n ddestlus rownd yr arch. Cafodd plant yr ysgol i gyd fynd i sefyll ar ochr y ffordd fawr ddiwrnod y claddu ac am y tro cyntaf yn fy mywyd mi welais Puw Plisman yn gwisgo medalau ar ei frest ac yn saliwtio wrth i'r hers fynd heibio.

Dim ond llond arch o dywod oedd yno, meddai Nhad. 'Roedd o yn dweud na fyddai dim byd ar ôl o Robin wedi i'w eroplên gael ei saethu i'r llawr yn fflamau. Ond fedrwn i yn fy mýw ddirnad pam fod rhaid iddyn nhw ddod â llond arch o dywod yr holl ffordd o Sbaen a digonedd ohono i'w gael ar y traeth yn Llaniago.

Welais i erioed un fel Huw. 'Dydi marw yn poeni dim arno. Mae Nain yn dweud o hyd ei fod yn galed fel haearn Sbaen. Mi welais i Ifans yr ysgol yn ei bastynu yn ei ben am iddo anghofio gwneud rhyw waith cartref, ond wnaeth Huw ddim ond tynnu ei dafod allan arno cyn gynted ag y trodd ei gefn.

Ond crio yn ddistaw yn ei wely wnaeth o ar ôl i Mam ddweud wrtho nad oedd yn cael mynd yn beilot.

'Roedd hi'n noson wyntog ofnadwy a minnau'n methu'n glir â chysgu, a buwch Dafydd Wiliam, Gelli Plas, yn gofyn tarw neu rywbeth ac yn brefu fel utgorn drwy'r nos. Yn y llofft ffrynt gyda Mam a Nhad y byddwn i'n arfer cysgu, fi yn y gwely bach a hwythau yn y gwely mawr, a Nain yn cysgu efo Huw yn y llofft bach. Ni fyddai Mam yn gadael i mi gael y gannwyll yn olau ond fyddwn i byth yn gwrando arni a byth yn diffodd nes clywed sŵn Nain yn dod i fyny'r grisiau.

Fel arfer, byddai'r gwynt yn chwythu rhwng pren y ffenest ac yn chwarae ar y fflam nes gwneud i'r gwêr lifo fel afon i lawr un ochr i'r

10

gannwyll, a chysgodion mawr yn dawnsio ar y wal wrth draed y gwely. Mi fyddwn i wrth fy modd yn gorwedd yno ganol gaeaf, y dillad at fy mhen, yn edrych ar y lluniau yn y lleithder ar y papur wal. 'Roedd yno bob math o ryfeddodau, er i Nain ddweud lawer gwaith nad oedd hi'n gweld dim byd ond lleithder yno. Ond mi fedrwn i weld llun injian drên yn rhuthro dros ben cawr a phen yr un fath yn union â chabatsian ganddo. 'Roedd yna rywun arall yr un ffunud â Dafydd Wiliam, Gelli Plas, yn sefyll ar ben tas wair a phicwarch yn ei law.

Ond ers i Nain ddweud ein bod ni'n mynd i gael rhyfel, mi fyddwn i'n cau fy llygaid yn dynn ac yn ceisio 'ngorau glas i gysgu ar fy ochr rhag ofn i mi weld lluniau eroplêns ar y pared a lluniau bom-iau'n disgyn, a'r gwaed yn llifo i'r afon o'r pentref, mwy o waed nag oedd yn lladd-dŷ Dic Bwtsiar pan oedd o'n lladd mochyn.

'Roedd yna dwll bach ar ganol y pared a weith-iau mi fyddwn yn mynd ar fy ngliniau ar wely Mam ac yn edrych drwyddo i weld beth fyddai Huw yn ei wneud. Wrth ei fod yn y Cownti yn y dref 'roedd o'n cael darllen yn ei wely. Gwyddai yn iawn fy mod i yn arfer edrych drwy'r twll arno ac ambell dro byddai'n cnoi tamaid o bapur a'i wthio i'r twll os oedd am wneud rhywbeth heb i mi fedru ei weld.

Ond y noson pan glywais i sŵn crio yn dod drwy'r pared 'roedd Huw wedi diffodd y gan-nwyll. Mi wyddwn i i'r dim beth oedd o'n ei wneud wrth ei fod yn snwffian ac yn ochneidio fel

11

y byddai Nain yn ei wneud wrth i rywun sôn am Taid wrthi. 'Ddywedais i ddim byd wrtho gan y gwyddwn y byddai'n gwylltio'n gacwn petai'n gwybod fy mod i wedi ei glywed yn crio fel babi.

Ymgripiais yn ôl yn ddistaw bach i'm gwely fy hun a mynd ati i wneud eroplên â dwy goes matsen ac yna ei rhoi ar dân yn fflam y gannwyll a chymryd arnaf mai eroplên y Jyrmans oedd hi. 'Roedd hi yr un fath yn union ag un go iawn yn dod i lawr. Ac yn sydyn fe gofiais am Robin Tŷ Bach a chyn hir 'roeddwn innau'n crio hefyd am fy mod yn gwybod yr âi Huw yn beilot er gwaethaf Mam, cyn gynted ag y byddai yn ddeunaw. 'Doeddwn i ddim am weld llond arch o dywod yn dod i'n tŷ ni a Puw yn saliwtio a phlant yr ysgol i gyd yn sefyll ar ochr y ffordd fawr i weld yr hers yn mynd heibio. Petai Huw yn cael ei ladd, pwy fyddai i chwarae hefo fi wedyn? A phwy fyddai'n cadw fy ochr i petai un o'r hogiau mawr yn rhoi curfa i mi?

Toc, daeth sŵn traed Nain ar y grisiau. Chwythu'r gannwyll nes bod arogl gwêr yn gymylau dros y llofft. Lwcus nad oedd Nain yn medru arogli yn rhy dda. Wedi iddi gau drws y llofft ar ei hôl dyma fi'n mynd i sbecian drwy'r twll, ond 'roedd Huw fy mrawd wedi mynd cyn ddistawed â llygoden fach ac yn cymryd arno ei fod yn cysgu'n sownd. Ddywedodd Nain ddim byd wrtho, dim ond rhoi hergwd iddo yn nes at y pared. Hi fyddai'n arfer cysgu wrth yr erchwyn wrth ei bod yn codi bedair gwaith yn y nos. Clywed Mam yn dweud wrth Meri Lisi Drws

Nesaf wnes i. 'Roedd yna rhywbeth o'i le ar ddŵr Nain, meddai Mam.

Wedi rowlio Huw at y pared diffoddodd Nain y gannwyll a cheisiais innau gysgu unwaith eto. Fyddai Mam a Nhad byth yn dod i'r gwely nes i mi gysgu, ond ar nos Lun pan fyddai Mam wedi blino mwy nag arfer ar ôl bod wrth y crwc golchi drwy'r dydd. Codais y fricsen boeth a lapiodd Mam mewn darn o hen gynfas i'w rhoi yng ngwaelod y gwely i gadw fy nhraed yn gynnes, a'i magu yn fy mreichiau fel babi dol. Gwnâi'r arogl deifio oedd arni i mi besychu dros y llofft a Nain yn cnocio'r pared ac yn gweiddi, "Wyt ti wedi cael annwyd, Emyr?"

"Naddo, Nain."

"Pam wyt ti'n pesychu 'ta, 'ngwas i?"

"Methu cysgu 'rydw i, Nain."

"O. Cofia i mi ddweud wrth dy fam am roi llwyaid o fêl i ti cyn mynd i dy wely nos fory."

"Olreit, Nain."

"Tria di gysgu rŵan, 'ngwas i."

"Nain, fydd y Jyrmans yn bomio'n tŷ ni?"

"Na fyddan, siŵr."

"Oes yna ryfal yn dŵad, Nain?"

"Nag oes, siŵr. Tria di gysgu rŵan, 'ngwas i."

Medrai Nain newid ei meddwl heb oedi os oedd hi'n teimlo felly. Y noson honno y dechreuais i wlychu fy ngwely ac er i mi gael cweir lawer gwaith a rhoi'r gorau i yfed coco cyn mynd i noswylio, 'roeddwn i wedi symud i'r ysgol yn y dref cyn i mi fedru peidio.

PENNOD II

"Anti Sal, gaiff Robat ddod allan i chwarae?"

'Doedd yna ddim plant o gwbl oni bai am Robat, fy nghefnder, Huw a minnau. 'Roedd Meri Elin Felin Uchaf a Lora Mê, wrth gwrs, ond merched oedd y rheiny, a'r cwbl yr hoffai'r ddwy ei wneud oedd chwarae tŷ bach ar ben y Domen Fawr. Weithiau, pan fyddai gan Huw waith cartref i'w wneud gyda'r nos, byddai Robat a minnau yn chwarae gwŷr iddyn nhw, ond hen chwarae gwirion oedd chwarae tŷ bach, yn enwedig gyda Lora Mê. 'Roedd hi'n pigo ei thrwyn yn barhaus a rhyw hen sglefren werdd yn mynd a dod o'i thrwyn i'w gwefl hi yn ddi-stop fel io-io, ac yn codi cyfog gwag mawr arna' i. 'Doedd dim byd o'i le ar Meri Elin, ond Robat fyddai ei gŵr hi bob amser a gwrthodai'n lân â newid efo mi.

"Robat John!" 'Roedd llais fel corn chwarel Tal-y-bont gan Anti Sal wrth iddi weiddi ac er eu bod nhw'n ddwy chwaer, 'roedd hi a mam yn wahanol iawn i'w gilydd.

"Robat John!"

Daeth yntau o ben draw'r ardd dan fwmian canu a chau ei fresys.

"Ydi dy fam yn falch bod dy dad wedi cael gwaith yn yr hen le eroplêns yna yn Llaniago, hogyn?"

14

"'Dydw i ddim yn gwybod, Anti Sal. Ond 'roedd hi'n dweud nad ydi pethau ddim yn edrach mor ddu ag yr oeddan nhw.''

"Wel, mi gaiff o arian am wneud dim yn yr hen le 'na, beth bynnag. Mae dy Yncl Twm druan yn gweithio'n ddigon caled ar yr hen greigia yna am gyflog digon bychan, wir. Wyt ti wedi cael trowsus newydd eto, dywed?''

"Hen un ar ôl Huw ydi o.''

Dechreuodd fodio brethyn fy nhrowsus i weld a oeddwn yn dweud y gwir. Byddai Mam yn dweud o hyd mai un genfigennus ofnadwy oedd Anti Sal a bod ganddi dafod brwnt. Wyddwn i ar y ddaear beth oedd hi'n feddwl drwy ddweud fod fy nhad yn cael arian am wneud dim. Gweithiai yn llawer caletach yn y maes awyr nag a wnaethai yn y sied bach yn chwarel Tal-y-bont cyn iddynt ei chau.

"Wyt ti'n dŵad i'r pentra?'' gofynnodd Robat wedi i ni fynd o olwg y tŷ.

Ond 'doedd Nain na Mam ddim yn licio i mi fynd i'r pentref.

"Mae yna ormod o hen hogia gwirion o'r tai newydd yna yn pentra,'' oedd geiriau Mam bob tro y soniwn am fynd ar ei gyfyl.

"Mae yna ddigon o le i ti chwarae ar ben Doman Fawr ac yn y Cae Dan Tŷ,'' meddai Nain wedyn. "Pan oeddwn i'n hogan bach, dy oed ti, fyddwn i byth yn cael mynd allan o'r ardd i chwarae.''

Ac wrth i mi ddal i swnian, ychwanegodd, "Wn i ddim pam 'rwyt ti'n swnian bob munud. Mae yna ddigon o le i ti ar ben y domen yna. Mi fasa dy hen nain, fy mam i, yntê, a nain dy fam, yn cael strôc 'tasa hi'n gweld y rhyddid mae plant heddiw yn gael."

"A gwylia di nad wyt ti'n mynd yn agos i'r afon yna," fyddai Mam yn gweiddi wedyn. "Mi chwipia i dy din di os doi di adra i fan hyn efo traed gwlyb, cofia, i besychu a thagu a chadw pawb yn effro yn y nos."

I ben yr hen Domen Fawr i chwarae chwarel bach yr oedd Robat am fynd wedi i mi wrthod mynd i'r pentref. Ond 'roedd y merched yno o'n blaenau yn chwarae tŷ bach, ac ers i 'Nhad gael ei roi ar y dôl o'r chwarel 'doedd gin i ddim llawer o awydd hollti cerrig.

"Mae'n rhy oer i hollti cerrig."

"Awn ni i hel pricia."

"'Does gin i ddim 'mynadd."

"I chwarae cylchyn?"

"'Dydw i ddim isio rhedeg i chwysu."

'Doedd dim ar ôl ond mynd i chwilio am ddau bot jam a mynd i afon bach Gelli Plas i ddal silidons.

"Mae Mam yn dweud mai dim ond y chwarelwrs gorau maen nhw wedi gadw yn Chwaral Tal-y-bont," meddai Robat John yn sydyn.

"Dim dyna mae Nain yn 'i ddweud, a mae hi'n gwybod. 'Roedd hi'n dweud wrth Mam neithiwr mai dynion oedd yn crafu tin Arthur Stiward sy'n cael eu cadw yno a . . ."

"Sbia ar y garreg fflat yna. Mi welais i rywbeth yn symud wrth ei hymyl hi rŵan."

Wedi i Robat stryffaglio i godi'r garreg, a rhoi ei droed chwith yn y dŵr wrth wneud, rhuthrodd sliwen droedfedd a hanner o'i chysgod.

"Sliwan! Sliwan!" gwaeddodd fy nghefnder, gan neidio am y dorlan a gollwng y garreg yn ôl i'r dŵr, nes bod ton enfawr yn dilyn y pysgodyn igam-ogam drwy'r pwll.

'Roedd mwy o ofn sliwen arnom ni na dim wedi i Mam ddweud ei bod yn brathu hyd at yr asgwrn.

"Lol botas!" fyddai Huw fy mrawd yn 'i ddweud. "Dweud hynny rhag ofn i ti fynd i'r afon a gwlychu dy draed mae hi, siŵr. 'Dydi sliwod ddim yn brathu."

Medrai Huw afael yng nghynffon sliwen a'i thaflu ar y cae ymhell o'r afon. Wedyn chwiliai am lechen finiog a thorri ei phen i ffwrdd a rhoi cic iddo yn ôl i'r dŵr. Daliai'r sliwen i symud yn ei boced ar y ffordd adref i fol y gath, ac yn ôl Huw fyddai'r greadures ddim yn marw hyd nes i'r haul fachlud y noson honno. Tybed a oedd hi'n dal i nofio ym mol y gath i aros i'r haul noswylio?

Wedi blino ar bysgota, i ffwrdd â ni am gadlas Gelli Plas. I fyny'r hen goeden dderw â ni fel dwy wiwer. Ymestynnai'r brigau i gofleidio talcen y tŷ gwair ac nid oedd dim yn haws na neidio drwy'r twll yn y wal gerrig o dan fondo'r to sinc. 'Roedd hi'n llawer cynhesach ar ben y das wair nag wrth yr afon ond 'doedd wiw gwneud yr un smic o sŵn rhag ofn i Dafydd Wiliam ein clywed a dod yno i ddweud y drefn.

Byddai arogl hudolus y gwair yn llenwi'r lle a

17

phan ddawnsiai'r glaw ar y to sinc mi fyddwn bron iawn â syrthio i gysgu.

"Oes gin ti fatsian?" gofynnodd Robat, yn tynnu hen dun Oxo o'i boced.

"Ble cefaist ti nhw?" meddwn innau wrth ei weld yn estyn pump stwmp Wdbein o'r tun ac yn tynnu'r papur oddi arnynt yn ddeheuig i wneud baco.

"Dic Bach Bwtsiar fu acw neithiwr yn gweld 'Nhad a 'roeddan nhw'n un clwstwr hyd lawr y cwt y bora yma."

Wedi iddo wneud dwy sigarét fain â dau damaid o bapur newydd a'r baco, dyma danio, a'r mwg yn rhedeg yn las o'n trwynau fel o gorn simdde stemar bach Sir Fôn yn yr haf.

"Smôc dda hefyd," ebe Robat John, gan chwythu cwmwl glas i ben to'r tŷ gwair a hwnnw yn rhedeg hyd rychau'r sinc fel tonnau'r môr ar draeth o dywod. "Watsia roi'r gwair yma ar dân, beth bynnag wnei di."

"Smocio! Mi fydda i yn dweud wrth dy fam di, Robat John, ac wrth dy fam ditha hefyd, Emyr Bach!" 'Roedd y ddwy wedi dringo'n ddistaw i ben yr hen dderwen ac yn edrych arnom drwy'r twll yn y wal.

"Ac mi gei di gweir iawn gin dy Nain, Emyr."

Gwasgais y sigarét yn erbyn wal y tŷ gwair a'r gwreichion yn neidio'n gawod. Ond dal i smocio'n braf wnaeth Robat John. 'Doedd arno ddim hanner cymaint o ofn ei fam ac yn ôl Nain, yr oedd wedi ei ddifetha'n lân.

"Dowch i mewn, genod. Mae'n gynnes yn y gwair yma," meddai'n araf.

"'Dydan ni ddim isio dŵad, yn nag oes, Meri Elin?" oedd ateb parod Lora Mê. "'Dydan ni ddim isio chwarae efo chi. A 'rwyt ti'n drewi o fwg baco, Robat John."

"Peidiwch 'ta. 'Dydi ddiawl o ots gynnon ni be wnewch chi, yn nag ydi, Emyr?"

"O, rhag dy gwilydd di, Robat John! Yn rhegi fel hen gath! Mi ddeuda i wrth dy fam, cofia. Ac mi ddeuda i wrth Mistar Ifans yn yr ysgol hefyd."

'Roedd un goes i Lora Mê drwy'r twll yn barod a Meri Elin yn ymwthio o'r tu ôl iddi. Eisteddodd y pedwar ohonom yng nghesail y gwair a chafodd Meri Elin un pwff o sigarét Robat John cyn iddo ei thaflu allan i'r gadlas.

"Ych a fi! 'Dydw i ddim yn mynd i smocio ar ôl i mi fynd yn ddynas. Wyt ti, Lora?"

Ysgwyd ei phen fel mul wnaeth Lora a dweud dim. 'Roedd hi wedi sorri'n bwt am i ni wrthod mynd i chwarae tŷ bach hefo hi. Aeth i orwedd ar wastad ei chefn yn y das i synfyfyrio.

"Mae Carys chi yn disgwyl, yn tydi?" meddai Robat John wrth Meri Elin, toc.

"Paid â siarad yn fudur, Robat John. Mae hi wedi priodi."

"Disgwyl be?" 'Doedd gennyf yr un syniad pam fod Meri Elin yn cochi at ei chlustiau.

"Disgwyl babi, y ffŵl," meddai fy nghefnder. "Welaist ti ei bol hi? Mae Mam yn dweud ei bod hi'n mynd i gael twins."

"O, yr hen gena bach!" Anelodd Meri Elin

fonclust ato. "Ew, 'rwyt ti'n hen beth budur, Robat John."

Closiodd ataf ac am eiliad fer codais fy nghalon gan feddwl y byddai yn gadael i mi fod yn ŵr iddi y tro nesaf y byddem yn chwarae tŷ bach ar y Domen Fawr.

"Bol at ei thrwyn ganddi," meddai Robat wedyn. "Hei, be' am fynd i'r beudy? Mae 'na fuwch yn gofyn tarw. Ella y cawn ni weld . . ."

"Gweld be'?"

"Ond gweld y tarw, siŵr. Nefoedd, mi 'rwyt ti'n ddwl weithiau, Lora Mê."

'Doeddwn innau ddim yn gweld beth oedd a wnelo'r tarw â chwaer Meri Elin yn disgwyl babi chwaith, ond ddywedais i ddim byd rhag ofn i Robat chwerthin am fy mhen.

"'Rydw i'n mynd. Tyrd, Lora Mê." Cododd Meri Elin yn sydyn a dechrau siglo ar ei thraed yn y gwair.

Neidiodd fy nghefnder am ei choesau a'i thynnu ar ei ôl i'r das. Welwn i ddim byd ond coedwig o goesau a'r clwt oedd ar ben ôl trowsus Robat John yn serennu arnaf o'i chanol, a chlun-iau Meri Elin wrth iddo godi ei ffrog i'r entyrchion â'i ben-glin wrth ymlafnio.

"Tyrd i helpu, Lora!" Gwaeddai Meri Elin yn wyllt ond eistedd yno'n fud yn cnoi blewyn o wair ac edrych ar y to a wnâi ei ffrind.

"Dydi hi ddim yn ffêr, Robat John!" llefai Meri Elin. "'Dwyt ti byth yn gwneud dim i Lora, dim ond i mi."

"Tyrd yn dy flaen, Meri."

Ond dechrau cicio fel mul wnaeth y ferch a Robat yn sboncio i fyny ac i lawr ar ei stumog hi wrth iddi geisio ei daflu i ffwrdd.

"Na, na, yr hen fochyn bach! Mi fydda i yn dweud wrth dy fam, cofia . . ."

"Gafael yn ei dwylo hi, Emyr," meddai yntau dros ei ysgwydd, ei wyneb yn goch fel bitrwt ac yn laddar o chwys. "Tyrd yn dy flaen, y babi cythral, gafael yn ei choesa' hi."

"Twtsia di ben dy fys yna i, Emyr Bach, ac mi gei di gic nes byddi di'n synnu. Hitia fo, Lora."

Wyddwn i ddim beth ar y ddaear i'w wneud.

"Gafael yn ei choesau hi, y llo gwlyb," meddai Robat, yn fwy chwyrn.

Ond y cwbl fedrwn i ei wneud oedd syllu'n syn ar goesau noethion Meri Elin, wrth iddi geisio lluchio Robat John oddi ar ei chefn. 'Roeddwn wrth fy modd yn edrych arnyn nhw. Wyddwn i ddim pam, ond crynai fy nhu mewn fel deilen grin pan welais goes las ei throwsus yn dod i'r golwg o dan ei ffrog.

"Emyr, brysia'r cranc gwirion! Mae hi'n mynd oddi arna i . . ."

"Be ddiawl ydach chi yn 'i wneud, y cythreuliaid bach?" ebe llais fel taran a phen Dafydd William, Gelli Plas, yn ymddangos ar ben yr ysgol a phicwarch yn ei law.

'Roedd Lora Mê hanner y ffordd drwy'r twll yn y wal cyn iddo orffen bytheirio a minnau'n siglo ar ei hôl hi hyd ben y das.

"Sawl gwaith mae'n rhaid i rywun ddweud

wrthach chi nag ydach chi ddim i ddŵad i fan'ma
i chwara a phoitsio . . ."

Gwnaeth Meri Elin sŵn crio yn ei gwddf wrth
eistedd yno a thynnu ei ffrog dros ei noethni a
Robat John yn rhwbio ei stumog ble 'roedd ôl ei
hesgid yn goch ar ei groen rhwng ei grys a'i
drowsus.

"'Doeddan ni'n gwneud dim byd, Dafydd
Wiliam. Wir yr, rŵan, dim ond . . ."

'Roedd golwg fygythiol ar wyneb y ffarmwr a
chadwai pawb ei lygaid ar yr erfyn pigog yn ei
law.

"Paid ti â dweud celwydd, y cythral bach!"
meddai gan roi cam i ben y das oddi ar yr ysgol.
"Be ydi'r iws i mi lafurio i hel y gwair yma a
rhyw rapsgaliwns fel chi yn difetha'r cwbwl? A
waeth i ti heb â chrio, 'ngenath i," ychwanegodd
wrth Meri Elin. "Aros di i mi weld dy dad. Mi
fydd o'n cael dy hanes di."

Aeth ati i bigo'r gwair yma ac acw â'r bic-
warch. Tynnodd ei gap i grafu ei ben, a'r had
gwair wedi glynu'n batrwm yn y chwys ar ei
dalcen.

"Symud, y penci!" meddai, gan roi clustan ar
draws ei ben i Robat â phig y cap nes gyrru Lora
Mê a minnau drwy'r twll fel llygod bach o flaen
cath.

"Os gwela i un ohonoch chi yn y gwair yma
eto," meddai Dafydd Wiliam, gan boeri llond ceg
o faco coch i ganol y das, "mi fydd yma uffar o le!
Rhyw dacla fath â chi yn difetha tamaid o fwyd
anifail tlawd."

Rhoddodd andros o gic i glewtan o dail buwch oedd yn sownd ar waelod ei esgid nes ei fod yn un strempan grempogaidd ar wal y tŷ gwair.

"Hen fwnci cythral ydi o!" oedd geiriau cyntaf Robat John wedi i ni groesi'r ffordd a dringo i ben y Domen Fawr. "Fydda fo ddim yn rhoi ei faw i gi 'tasa fo'n cael carreg i'w rhoi arno fo."

Cododd garreg gron a'i lluchio â'i holl nerth dros ben y ffordd. Clywsom yr hen ffermwr yn rhegi wrth iddi syrthio ar ben y to sinc a llithro ar ei hyd i lawr i'r gadlas, ac yna i ffwrdd â ni ar ôl Robat ar hyd pen y domen.

'Doedd dim i'w wneud bellach ond chwarae tŷ bach â'r merched.

"Mi wna i fod yn ŵr i ti heddiw," meddwn yn llawn hyder wrth Meri Elin, a mynd ati i hel cerrig mân yn y sosban i wneud pwdin reis i ginio.

Ond gafael yn garuaidd ym mraich Robat John wnaeth hi fel petai'n ŵr go iawn iddi.

"Robat John ydi 'ngŵr i," meddai, gan estyn dau blât o'r cwpwrdd llestri. "Gŵr Lora Mê wyt ti, Emyr. Rŵan 'ta, Robat John, cer at Misus Jôs Drws Nesa i chwilio am fenthyg cwpanaid o siwgwr brown i wneud cacen, wnei di, cariad?"

Yntau'n mynd fel ci bach i gnocio ar ddrws Lora Mê.

PENNOD III

"Mae Wil Bach yn mynd yr wythnos nesa, y creadur bach," meddai Mam.

Wrthi'n pobi bara yn y popty bach wrth y tân yr oedd hi, a Nain yn darllen yr *Herald* wrth y bwrdd.

"Wil Bach Drws Nesa?"

"Ia. Y creadur bach."

"Brenin y bratia!" meddai Nain. "Lle maen nhw yn ei yrru o, dywed?"

"Rywle yn Lloegr yna. A Twm Tŷ Corn hefyd, meddan nhw."

"O. Mi fydd y ddau efo'i gilydd yn reit handi, felly."

"Na fyddan. I'r Er Ffors mae Wil Bach yn mynd a Twm yn mynd i'r Armi."

"Diar mi. 'Dydi hi'n fyd rhyfedd wedi mynd, deudwch?"

Rhoddodd Nain y papur i lawr ar y setl wrth ei hochor a dechrau synfyfyrio i'r tân.

"Yr hen Wil Bach o bawb," ochneidiodd. "Pwy fydd nesa tybed? Ydi o'n dallt Seusnag, dywed?"

"Digon carbwl ydi o, meddai ei fam. Ond mi ddeudon nhw wrtho fo nad oedd o ddim isio iaith i ddysgu cwffio."

"Diar annwyl! 'Does yna fawr ers pan ydw i'n cofio mynd â fo yn y siôl ar y 'mraich ar hyd y ffordd yna. Be' ddaw o'i fam o, dywed, a hithau

24

wedi claddu John druan ers cymaint? Ac wedi magu Wil Bach a'r Magi Lisi yna heb ofyn dima' gin neb. Fydd y Magi Lisi yna fawr o iws iddi hi, wir. Dew, mi fydd hi'n gweld colled ar ôl i Wil Bach fynd. Fydd o'n saff yn yr hen eroplêns felltith yna, dywed?"

"Efallai y caiff o ddŵad i Laniago wedi iddyn nhw orffen y lle. Mi fydd reit handi iddo ddŵad adra am dro."

"Wel gobeithio, wir. Mi fydd ei fam o yn siŵr o fynd o'i cho' efo neb ond yr hen jolihowtan hogan wirion yna yn gwmpeini iddi."

Jolihowtan. Dyna oedd gair Nain am bawb nad oedd hi yn rhy hoff ohonynt. 'Roedd fy nhad yn dweud fod Magi Lisi yn canlyn rhyw Wyddel oedd yn gweithio ar yr erodrom yn Llaniago, a hwnnw â gwraig a llond tŷ o blant ganddo yn Iwerddon.

Gwelodd Huw fy mrawd y ddau yn mynd law yn llaw am goed Pen-bryn ryw noson. Ond er iddo fynd ar eu holau, fe'u collodd rywle yn y gwyll a bu'n rhaid iddo ddod adre heb weld dim, ond y coed.

"Mi fydda i yn iawn am yr Er Ffors rŵan i ti," meddai yn edrych yn llawer hapusach. "Mi fydd Wil Bach yn siŵr o gael lle i mi yn rhywle. Mi fydd o yn 'nabod y bobol iawn ar ôl iddo fod yno am dipyn . . ."

"I be' oeddat ti'n mynd ar ôl Magi Lisi a'r Gwyddal yna, Huw?"

"Jest mynd ar eu hola nhw, siŵr."

"Be' oeddan nhw'n wneud, Huw?"

"Caru 'tê? Cau di dy geg, was, a phaid â sôn gair yn y tŷ, cofia, neu mi fydda i yn gwasgu dy sibols di nes y byddan nhw yn sitrach."

"I be' oeddat ti yn mynd ar eu hola nhw, 'ta?"

Ond y cwbl wnaeth Huw fy mrawd oedd troi fy nghlust yn gïaidd a chwerthin yn slei.

"Mi fyddi di yn dallt petha gyda hyn," meddai. "'Rwyt ti wedi bod ormod o dan frat dy fam a dy nain."

"One seven is seven, twice sevens are fourteen, three sevens are twenty one . . ."

Byddai tymer ddrwg felltigedig ar Ifans yn yr ysgol bob bore Llun. Yn ôl fy nhad wedi codi'r ochr chwith i'r gwely y byddai, ond yn ôl Huw fy mrawd, ei wraig oedd wedi troi ei chefn arno nos Sul.

Cafodd Idris Felin Isaf andros o glustan ganddo a hynny pan oeddem ni ar ganol gweddïo yn y gwasanaeth, ben bore. Roeddwn wedi gweld Wil Elis yn rhoi pinsiad slei i Idris pan oedd pen pawb yn gwyro'n wylaidd tua'r llawr.

". . . Tad yr hwn wyt yn y nefoedd . . ." llafarganai pawb a llais Ifans i'w glywed yn uwch na neb.

"Ein tad 'rhwn wyt yn y daflod," ebe Wil Elis ar ei draws a gwneud i Idris ddechrau chwerthin. "Tyrd i lawr, mae swper yn barod. Lopsgows mewn powlen bren, ffish a tsips, Amen."

Cerddai Ifans yn hamddenol i lawr y neuadd gan ddal i ddweud ei bader yn uchel.

"Maddau i ni ein dyledion . . ." a chledr ei law yn syrthio ar glust ddrwg Idris ar y gair 'dyledion' nes bod yr eco'n seinio yn y nenfwd.

"*Silence, boy,*" rhuodd Ifans wedi dychwelyd i'w ddesg a gwrando ar Idris yn udo am eiliad neu ddwy. "*Or I'll give you another one.* O, Dad annwyl, dysga ni i fod yn garedig wrth bawb y down i gysylltiad â nhw heddiw. Gwna ni yn garedig wrth blant ac anifeiliaid . . ." ac Idris yn dal i ochneidio a sychu ei drwyn â llawes ei gôt, nes ei bod yr un fath yn union â phetai malwen ddu wedi bod yn cerdded ar ei hyd.

Cafodd Idris ddwy glustan arall ganddo ar ôl y gwasanaeth am nad oedd wedi dysgu ei dabl saith. Sefyll yn y gongl yr oedd pan welodd helmed Puw Plisman drwy wydr y drws. Aeth ei wyneb cyn wynned â'r calch ar wal beudy Gelli Plas a dechreuais innau grynu fel deilen hefyd. Wyddwn i ar y ddaear beth fu Idris yn ei wneud, ond y noson cynt bu Huw fy mrawd a minnau yn dwyn tatws o gae Dafydd Wiliam i wneud tsips yn y cwt bach oedd gennym ar ben y Domen Fawr. Edrychai Idris druan fel drychiolaeth pan waeddodd Ifans '*Quiet!*' arnom ni a '*Come in!*' ar y drws.

Ond yr oedd rhywun arall yn sythu y tu ôl i Puw y bore hwnnw, dyn dieithr mewn het galed fel het gladdu fy nhad, a bocs bychan yn ei law. Sais oedd o ac ychydig iawn a ddeallai'r plant arno. Ond cyn gynted ag yr agorodd y bocs a thynnu gas masg ohono a gofyn beth ydoedd, dyma goedwig o ddwylo tua'r nen.

27

Un digon gwael ei Saesneg oedd Puw hefyd a throdd i'r Gymraeg, a phawb yn ei ddeall, a dweud fod rhaid i bawb ddod i'r ysgol y dydd canlynol i fesur am gas masg.

"'Does dim isio i neb ddychryn," eglurodd Ifans ar ei draws. "'Does yna ddim rhyfel yn mynd i ddod. Ond mae'r llywodraeth am i bawb fod yn barod rhag ofn i Mistar Hitlar newid ei feddwl."

Rhoddodd orchymyn i ni fynd o gwmpas y tai i gyd ar ôl yr ysgol i ddweud wrth bawb, pob taid a nain, pob mam a thad, hyd yn oed y babanod, am ddod i'r ysgol drannoeth. Dechreuodd Lora Mê wylo'n hidl dros y lle.

"Dim isio i'r Jyrmans ollwng gas," meddai dros bob man, ac wrth fod Puw Plisman a'r dyn dieithr yno, fe wenodd y Prifathro arni'n garedig a rhoi ei law ar ei hysgwydd.

"Fydd neb yn gollwng nwy, siŵr, Lora Mê," meddai'n dyner a mellt yn dawnsio yn ei lygaid. "Dim ond rhag *ofn* iddyn nhw wneud y mae pawb yn cael gas masg."

Ond 'doedd dim yn tycio. Wnaeth Lora Mê ddim ond wylo'n waeth nes bod ei hwyneb yn ddu fel dynion cwt yr injian yn y chwarel.

"Oes yna gas masg i Tomi Bach a Toto?" gofynnodd rhwng ei dagrau, a phawb ond Ifans yn chwerthin yn iach wrth feddwl am gi a chath yn gwisgo y fath beth.

Ni ddywedodd Ifans air wrthi ond aeth yn syth at Idris a'i daro wedyn ar ochr ei ben am ddim byd. 'Roedd Idris yn dweud y byddai'n dod yn ôl i'r ysgol wedi iddo fynd i'r fyddin ac yn rhoi curfa iawn i Ifans.

Gobeithiwn innau na fyddai'r hen Jyrmans yn gollwng eu hen gas. 'Roedd y masg yn fy mygu'n lân a Nain wedi gwrthod yn glir â'i roi yn agos i'w hwyneb.

"Os ydi'r Bod mawr am i mi fynd," oedd ei geiriau, "waeth gin i gas, mwy na chael fy malu'n rhacs mân gin yr hen fomiau yna . . ."

Ond gwenu'n glên wnaeth y dyn oedd yn eistedd tu ôl i'r bwrdd a rhoi gas masg Nain i Mam i fynd ag o adref. Yna fe dynnodd y strapiau yn dynn wedi rhoi un ar fy wyneb i a dal llyfr ar drwyn y masg nes fy mod yn mygu'n lân a 'ngwyneb yn troi'n las.

Edrychai pawb yr un fath yn union â'i gilydd yn gwisgo gas masg a'r unig wahaniaeth rhwng Lora Mê a minnau oedd ei bod hi'n gwisgo sgert.

"Mi fydda rhywun yn dŵad i'r drws cefn yn un o'r petha 'na yn dychryn mwy arna i na'r hen Jyrmans yna," meddai Nain.

Gas Masg Mici Mows oedd gan frawd bach Meri Elin. Dyna oedd plant bach heb gychwyn yn yr ysgol yn wisgo, a'r cwbl wedi ei beintio yn goch a gwyrdd.

Ond wrth edrych ar y babanod yn mynd drwy'r drin y cawsom ni fwyaf o hwyl. Rhaid oedd eu rhoi mewn rhywbeth yr un fath yn union â chrud a chaead ac ynddo ffenest fechan yn cau yn dynn ar y cwbl. 'Roedd megin yn sownd wrtho er mwyn galluogi'r fam i chwythu aer i'r plentyn, yn ôl Puw Plisman. Ond wnâi babi Meri Wini ddim

29

byd ond dal ei wynt ynddo a'i wyneb yn troi'n ddu-las, nes i'w fam benderfynu y byddai'n saffach y tu allan i'r gas masg na'r tu mewn, petai'n dod yn rhyfel.

Bu'r cwbl yn hongian yn eu bocsus ar gefn y drws drwy'r rhyfel. Pob un ond un Nain. Aeth hi â'r bocs i'r llofft a 'doedd arni ddim eisiau gweld yr hen beth wedyn, meddai hi. Ond pan sbeciais i drwy'r twll yn y pared roedd hi wrthi'n stryffaglio i gael ei hwyneb iddo cyn mynd i gysgu.

PENNOD IV

Yr haf poethaf o fewn cof pawb o drigolion yr
ardal oedd yr haf hwnnw. Dyma'r tro cyntaf
erioed i ni gael mynd i'r ysgol yn ein bresys ac
ambell un, mwy beiddgar na'i gilydd, fel Idris,
wedi tynnu ei grys nes bod croes wen ar ei gefn
melynddu ar ôl y bresys. Ond 'doedd mam ddim
yn fodlon i mi dynnu fy nghrys, gan fod fy
nghroen i'n rhy olau a rhag ofn i mi losgi'n
golsyn.

Bob gyda'r nos ar ôl yr ysgol, i ffwrdd â ni yn
griw swnllyd am afon bach Gelli Plas i ymdrochi.
Plant y pentre a arferai fynd i'r afon fawr a
'doedd gen i fawr o awydd mynd yno. 'Roedd Llyn
Trobwll, lle'r arferent nofio, yn ddwfn, a mil neu
fwy o sliwod yn duo ei ddŵr. Yn ôl Idris Felin Isaf
yr oedd mor ddwfn fel nad oedd gwaelod iddo o
gwbl. Ond fe wyddwn i mai celwydd noeth oedd
peth felly gan i Dic Bach Dafarn golli ei ddan-
nedd gosod yno un tro, ac fe blymiodd un o'r
bechgyn i'r dyfnderoedd a dod â nhw i'r lan yn
fwd i gyd.

'Roedd afon bach Gelli Plas yn ddigon da i ni.
Bu Huw, Robat John a minnau wrthi'n ddiwyd
am ddyddiau yn codi wal o gerrig a thywyrch ar
ei thraws yn ymyl yr hen furddyn o feudy. Wedi
hynny 'roedd yno lyn bron hanner canllath o
hyd, a'r dŵr yn cyrraedd at f'ysgwyddau i. Wedi

31

iddo fod yn llygad yr haul drwy hirddydd haf, byddai'r dŵr yn gynnes erbyn gyda'r nos, ac i wneud pethau'n fwy diddorol fyth, byddai brithyll yn taro'n ysgafn yn erbyn ein traed wrth inni fentro i'w ganol.

Huw gafodd y syniad ardderchog o ddymchwel y wal cyn y gaeaf er mwyn sychu'r llyn i ddal y pysgod. Dyna barodd i ni gario briwsion iddynt drwy gydol yr haf, er mwyn eu pesgi yn barod i'r badell ffrio.

Un prynhawn heulog, diog, gorweddwn yno'n hapus yng nghanol y gwair ar ben y dorlan yn gwrando ar ehedydd bach yn canu yn yr entrychion glas uwchben, arogl gwair dros bob man a'r haul yn boeth ar fy nghefn. Safai Huw a Robat John a Meri Elin yng nghanol dŵr y llyn, a Lora Mê yn y dŵr bas yn y pen pellaf yn golchi ei thraed. Wrth fod ei mam ar y plwy' nid oedd siwt nofio fel ni gan Lora. 'Doedd gan Meri Elin ddim siwt nofio iawn chwaith, yn ôl Huw fy mrawd, ond hen drowsus ar ôl ei chwaer. Un sidan, pinc a hwnnw filltiroedd yn rhy fawr iddi ac yn gwasgu amdani ar ôl iddi fod yn y dŵr, ac yn dangos pob darn o'i chorff. 'Roedd Huw yn dweud o hyd na fyddai waeth iddi fod heb yr un, ddim. Hen drôns oedd ganddo ef a minnau a Mam wedi gwnïo'r ddau falog yn dynn, ond 'roedd Robat John, oedd yn unig blentyn, wedi ei sbwylio a'i fam wedi prynu siwt nofio go iawn iddo, un goch a glas a llinyn du yn cau'n dynn am ei ganol.

"Mi fydda i yn deud wrth Mam hefyd, Huw

bach," gwaeddais wrth i'm brawd ruthro am fy nghanol.

"Cau di dy geg, y babi!"

"Mi ddeuda i dy fod ti'n trio tynnu fy siwt nofio i a gwneud i mi nofio'n noethlymun o flaen y genod."

"'Dydi ddim ots gin i."

Byddai andros o gurfa yn ei ddisgwyl gartref. Fe ddywedodd Mam wrtho ganwaith am beidio fy nhormentio ond nid oedd hynny yn poeni dim ar Huw, fy mrawd. Wedi iddo dynnu Meri Elin ar ei ôl a diflannu i'r hen feudy, neidiais innau yn ôl i'r dŵr claear.

Daeth cysgod sydyn rhyngom ni â'r haul tanbaid. Lora Mê a'i gwelodd gyntaf, ac 'roedd gweld Puw Plisman yn ddigon iddi redeg adre am ei bywyd. Cerddodd yntau yn hamddenol tuag atom. Rhedai'r chwys yn ffrwd i lawr ei wyneb, a chyn eistedd i lawr tynnodd ei het a sychu ei dalcen yn ara deg. Nefoedd, 'roedd ei draed yn fawr a'i esgidiau fel cychod hwylio, ac arogl chwys yn mynnu ymwthio drwy'r lledr ystwyth.

Sefyll yng nghanol y pwll yn ddigon pell o'i afael wnaeth Robat John a minnau, ond fedrem ni ddim dianc adre yn ein byw am ei fod yn eistedd ar ein dillad. Ni ddaeth yr un smic o gyfeiriad yr hen feudy chwaith ond medrwn weld Huw yn sbecian yn ofalus dros ben y wal.

"Wel hogia, ymdrochi ydach chi?" gofynnodd Puw a gwên ar ei wyneb.

'Dydi o ddim mewn tymer ddrwg, beth bynnag,

meddwn innau wrthyf fy hun, ond 'roedd y creadur yn gofyn pethau hurt, weithiau.

"Nage, codi tatws ydan ni," atebodd Robat yn gellweirus, a dechreuodd llygaid yr hen Buw felltennu.

"Paid ti â bod mor bowld, llanc," meddai, "neu mi fydda i yn mynd â chdi ar dy ben i'r rhinws yn y dre ac yno y byddi di ar fara sych a dŵr tan ddydd Gŵyl Miâw."

Aeth wyneb fy nghefnder yn wyn am eiliad, a phan ofynnodd Puw a oedd y dŵr yn oer, atebodd yn ddigon boneddigaidd, "Nac ydi, Mistar Puw. Mae o wedi bod yn llygad yr haul drwy'r dydd, 'dach chi'n gweld, a'r haul wedi ei gynhesu o."

"Ia siŵr. Dew, pwy wnaeth y wal yma, hogia? Chi?"

"Ia."

"Un dda ydi hi, hefyd. Wel mae'n braf arnoch chi yn cael socian yn y dŵr yna. Mae'n gythreulig o boeth."

Cododd y plisman ar ei draed yn araf wedi i ni'n dau ddod o'r dŵr a dechrau sychu'n hunain â'n crysau.

Ar yr un eiliad daeth tair awyren o Laniago dros y cae yn isel.

"Hyricens!" gwaeddodd Robat John, gan ddal ei law ar ei dalcen rhag yr haul, i edrych arnynt.

"Nage'r ffŵl," meddwn innau. "Dim ond Spit-ffeiars sydd yn Llaniago. Mae 'Nhad yn gweithio yno ac mae o yn gwybod."

"Ydi dy dad yno o hyd?" gofynnodd Puw yn fusneslyd. "'Roeddwn i'n meddwl fod pawb wedi gorffen yno rŵan ar ôl iddyn nhw agor y lle ac ar ôl i'r hen eroplêns yna ddod yno."

"Mae 'Nhad yn cael aros i edrach ar ôl yr erodrom. Ond 'falla y bydd rhaid iddo fo fynd i ffwrdd efo'r ffyrm ryw dro, medda Mam. Maen nhw yn mynd i wneud cannoedd o erodroms ar hyd y wlad yma."

"O, mi wela i."

Crafai'r Spitffeiars ben y mynydd ar y gorwel wrth fynd yn ôl am Laniago. Yna'n sydyn gwelais res fain o gymylau gwynion rywle yn yr entrychion.

"Ew, sbia uchel ydi honna!" meddwn wrth Robat John. "Spitffeiar arall. Maen nhw'n medru dringo ugain mil o droedfeddi medda Huw a . . . ."

Cyn i mi orffen, teimlais law galed Puw Plisman yn syrthio ar ochr fy moch, nes taro fy mhen i ffwrdd, bron. Ar yr un pryd 'roedd ei law arall yn gwneud yr un peth i ben Robat John, a wyneb Huw fy mrawd yn diflannu fel mellten o ben wal yr hen feudy.

"Cadw dy blydi bacha! . . ." dechreuodd Robat John, wedi gwylltio'n gacwn ulw ac anghofio ym mhle yr oedd am funud. Rhoddodd Puw ergyd arall iddo am ei drafferth.

Hen un slei felly fu Puw erioed. 'Roedd yn ddigon call i ddisgwyl i ni wisgo amdanom cyn dechrau arnom ni er mwyn iddo gael rhywbeth i afael ynddo. Cydiodd yng ngholer fy nghrys ac ym mresys Robat John a dechrau'n hysgwyd ni fel cath yn ysgwyd llygoden.

"Rŵan, y cnafon bach!" meddai, wedi cael ei wynt ato. "Pwy fu'n rhoi tywyrch ar ben corn Tŷ Crydd?"

"Dim fi, syr, wir."

Gwaeddai Robat fel porchell, a Puw yn ei ysgwyd yn ddidrugaredd nes bod ei ddannedd yn clecian ar ei gilydd.

"Pwy?" 'Roedd wedi colli arno'i hunan yn lân.

Plannodd flaen ei esgid ym mhen ôl trowsus fy nghefnder ond pan oedd ar fin rhoi'r un driniaeth i minnau, neidiodd botwm bresys Robat John dros y dorlan i'r afon.

Welais i erioed blisman wedi dychryn cymaint am beth cyn lleied.

"Mi ddeuda i wrth 'nhad," llefodd Robat John, gan wingo o grafangau Puw a mynd ar ei hyd ar y dorlan a cheisio cael y botwm o'r dŵr. "'Rydach chi wedi torri fy nhrowsus gorau i."

"Dy fai di oedd o, y cena bach. Cerwch chi i ben y tŷ 'na eto ac mi fydda i yn dŵad â gefynna efo fi i'ch nôl chi, ac yn y rhinws y byddwch chi, cofiwch."

Wedi dweud ei bregeth, trodd ar ei sawdl fel cachgi a brysio am adref.

"A dywed wrth Huw dy frawd," gwaeddodd wedi mynd drwy'r llidiart mochyn yng ngwaelod y cae, "fy mod i isio gair efo fo, y cythral bach. Mi ddyliech chi fod yn ddigon hen i beidio rhoi tywyrch ar ben corn simdda hen wreigan dlawd."

Chwerthin o waelod ei fol wnaeth Huw pan ddaeth yn ôl o'r beudy wedi i Puw fynd o'r golwg, a rhuthrodd Meri Elin am ei dillad oddi ar y cae a rhedeg adre gan eu cario'n un bwndel blêr dan ei braich.

"'Does arna i ddim ofn Puw Plisman na'r un plisman arall," ebe fy mrawd wrth wisgo amdano yn sydyn. "A welith y diawl mohona i am sbel."

'Doeddwn i ddim yn ei gweld hi'n iawn i Robat John a minnau gael y bai i gyd ac yntau yn cael dim. Huw oedd wedi ein gyrru i ben y to, wedi'r cwbl.

Nid tŷ crydd go iawn mohono er bod Nain yn dweud i grydd fyw yno, ryw adeg, flynyddoedd yn ôl, pan oedd hi'n ferch ifanc yn gweini hyd y ffermydd. Tŷ bach un corn wedi ei adeiladu wrth droed bryn Plas Du ydoedd a'r cae yn y cefn yn rhedeg bron i gwr y to. Nid oedd dim haws ar wyneb y ddaear na neidio o'r cae i ben y to. Ar ein ffordd adref o'r Band o' Hôp yn festri Seion yr oeddem ar y pryd, a syniad Huw oedd i ni ddringo'r to. Cyn i ni ddod i lawr 'roedd baich o ddywyrch glân yn eistedd ar ben y corn.

I ffwrdd â ni i guddio tu ôl i'r gwrych yn y cefn. Nid oedd rhaid i ni aros yn hir gan fod yr hen Feri Jones yn un rynllyd dros ben ac yn cadw tanllwyth o dân yn y grât er mor boeth yr hin.

Agorodd y drws fel pe bai corwynt y tu ôl iddo a'r hen greadures yn rhedeg allan mewn cymylau o fwg pygddu, yn gweiddi mwrdwr dros y wlad.

Ie, ar Huw yr oedd y bai.

Wrth i ni redeg adref o lan yr afon 'roedd yr haul yn dechrau machlud yn araf.

"Mi fydd yn braf fory eto," meddai Huw. "Sbiwch ar yr awyr goch yna, hogia."

Safasom am eiliad ar ben allt Pen-y-bryn a gwrando ar y sŵn saethu ymhell yn y môr yn rhywle.

"Spitffeiars yn dysgu saethu," gwaeddodd Robat John.

Dyna'r tri ohonom yn chwifio ein breichiau fel gwylanod y môr a gwneud sŵn awyrennau wrth ei gwadnu hi ar draws y caeau am adre.

PENNOD V

Eisteddai pawb ohonom yn y gwasanaeth boreol ac Ifans newydd hel Idris Felin Isaf allan am iddo siarad ar ei draws. Wedi tynnu'r llenni ar y ffenestri, yr oedd pob twll a chornel o'r neuadd yn dywyll, er bod yr haul poeth yn dal i wenu oddi allan.

'Roedd pawb ar bigau'r drain yn disgwyl i'r ffilm gychwyn, y dyn yn barod ym mhen draw'r ystafell ac Ifans yn gwastraffu amser yn sôn beth i'w wneud pan fyddai'r gelyn ar ein gwarthaf. 'Doeddem ni erioed wedi bod mewn pictiwrs o'r blaen. Nid oedd yr un sinema yn nes na'r dre ac wrth fod angen chwecheiniog i fynd i fanno ar y bws a thair arall i fynd i mewn byddai mynd drwy ddrws dinas nefoedd yn haws i ni na mynd drwy ddrws nefoedd y *Majestic*.

'Roedd gan Huws y Gweinidog *magic lantern* ond rhyw hen luniau o bobl dduon yr India yn unig oedd gan Huws i'w dangos a rhywun â gwallt gwyn fel eira yn rhoi ei law ar eu pennau. Ni fyddai neb yn symud a phob yn ail lun deuai adnod ar y sgrîn, adnod y byddai'n rhaid i ni ei hadrodd yn uchel cyn yr âi Huws ymlaen i ddangos y llun nesaf i ni.

Ond lluniau rhyfel oedd gan y dyn ddaeth i'r ysgol, lluniau yn symud ac yn siarad go iawn. Sgrechiai rhai o'r merched a chuddio eu

39

hwynebau yn eu dwylo, ond gweiddi hwrê y byddai'r hogiau i gyd wrth weld y tai'n chwilfriw ar ôl i'r bomiau ddisgyn yn gawodydd. Aeth pawb yn ddistaw pan roddodd Ifans y golau ymlaen a gweiddi '*Quiet!*'

Ffilm fer oedd hi, ac ar ôl y bomio gwelsom luniau criw o bobl yn canu ac yn cynnal rhyw-beth tebyg i noson lawen Saesneg mewn hen gwt concrid o dan y ddaear. I le felly yr âi pawb pan fyddai'r seiren yn canu, meddai'r dyn, wedi i'r ffilm ddirwyn i ben ac i Ifans agor y llenni.

"Be' ydi seiren?" gofynnodd Robat John ac yntau yn gwybod yn iawn.

Nid atebodd y dyn ffilmiau ond gofynnodd i Ifans ddweud gair neu ddau. Safodd yntau ar ganol y llawr a dechrau chwythu ei bib fel dyn gwirion heb ddweud gair.

"'Does yna ddim seiren yn agosach na'r dre'," meddai toc, yn cadw'r bib yn ôl yn ei boced. "A fedra neb glywed seiren sydd ddeng milltir i ffwrdd."

"Felly, pan fydd y Jyrmans yn dŵad," ychwan-egodd, "mi fydda' i yn chwythu'r bib yma ac mae'n rhaid i bawb redeg am y sheltars. Mi fydd raid i chi ollwng beth bynnag fyddwch chi yn ei wneud ar y pryd a mynd yn syth i'r sheltars, yn union fel yr oedd y bobl yna yn 'i wneud ar y ffilm. Ac mi 'rydw i'n siŵr ein bod ni, athrawon a phlant, yn ddiolchgar iawn i Mistar Ffransis am ddŵad yma a . . ."

"Plîs, syr?" 'Roedd llaw Wil Wmffra i fyny fel saeth. "Lle mae'r sheltars?"

Aeth y gwynt i gyd allan o hwyliau yr hen Ifans ac am eiliad trodd y dyn dieithr ei gefn arnom i chwerthin. 'Roedd wyneb y prifathro fel tomato gan y gwyddai yn iawn nad oedd yr un sheltar yn nes na'r dref a 'doedd neb yn mynd i ddisgwyl am fws i fynd yno petai'r seiren yn dechrau udo. Edrych ar Mistar Ffransis â chongl ei lygad wnaeth Ifans am ychydig, a hwnnw yn cymryd arno nad oedd wedi clywed cwestiwn Wil Wmffra, ac yn mynd ati i gadw'r ffilm yn ôl yn ei bocs yn ofalus.

"Wel ia," meddai Ifans cyn hir, yn y llais digrif fyddai ganddo yn y sêt fawr ar y Sul. "'Rydan ni'n digwydd byw mewn lle go anghysbell ac mae'n rhaid i bobl y trefi gael y sheltars gyntaf."

"Lle 'rydan ni'n mynd pan ddaw y Jyrmans, syr?"

"Maen nhw'n dweud mai'r twll-dan-grisia' ydi'r lle gora yn y tŷ pan mae bomiau'n disgyn . . ."

"Ond 'does yna ddim grisiau yn yr ysgol, syr, na thwll o danyn nhw."

"*Quiet, boy! Let me finish.* Hyd nes byddan nhw wedi gwneud sheltars i ni, bydd yn rhaid i bawb redeg adra a mynd i'r twll-dan-grisiau . . ."

"Ond mae tŷ ni yn rhy bell a . . ."

"*Quiet!* 'Dydw i ddim wedi gorffen eto. Mi fydd raid i blant y pentref fynd â rhywun sy'n byw yn rhy bell adra efo nhw."

I dŷ John Arfon yr oeddwn i i fynd, a chafodd Ifans ymarfer y bore hwnnw pan oeddem ar ganol dysgu canu 'Dafydd y Garreg Wen' gyda Miss Wilias. Aeth Ifans i ben draw'r rhodfa a

41

chwythu'r bib, a phawb yn rhedeg allan gan weiddi hwrê.

Nid oedd llawer o groeso i ni yn nhŷ John Arfon yr adeg honno o'r dydd. Ar ei gliniau wrth y pentan yn blacledio'r grât yr oedd ei fam, ei hwyneb yn ddu fel glo.

"Mynd i'r ysgol i ddysgu yr ydach chi," meddai'n flin, "nid i galifantio hyd y pentra 'ma fel eliffantod gwylltion."

"Ond mae Mistar Ifans wedi dweud fod isio i ni fynd i eistedd yn y twll-dan-grisia am ddeng munud a mynd yn ôl i'r ysgol wedyn, Mam."

"Wel dwed ti wrtho fy mod i yn dweud wrtho am fynd i fanno. Mae gin i lond y twll-dan-grisia yna o duniau bwyd rhag ofn iddi ddŵad yn rhyfal. Yn ôl am yr ysgol yna â chi, a phaid ti â loetran hyd y pentra 'ma. Be' sy' ar y dyn, deudwch, yn hel y plant o'r ysgol er mwyn iddo fo gael eistedd ar ei din yn llowcian te."

Nid aeth yr un o'r hogiau i dwll-dan-grisiau neb ar ôl y tro cyntaf hwnnw, heblaw am ambell i hen fabi oedd ofn Ifans. Pan fyddai'r bib yn chwythu, i ffwrdd â ni i ben Tomen y Foel, lle 'roedd cwt bach hogiau'r pentref, ac aros yno am ryw chwarter awr cyn mynd yn ôl i'r ysgol a'r hen Ifans ddim mymryn callach.

Welais i erioed ddydd Sul fel hwnnw yng nghanol yr haf poeth o'r blaen. Dyma'r tro cyntaf i Nain beidio â mynd i'r capel yn y bore ers cyn co', ac ar ôl brecwast aeth pawb ohonom i dŷ Anti Sal i wrando ar y weiarles. Gwrando ar y weiarles, o bob dim! Fe wyddwn fod rhywbeth mawr ar ddigwydd, gan fod Nain fel arfer yn mynd yn lloerig pan fyddai rywun yn gwrando ar y teclyn ar ddydd Sul.

Ond y diwrnod hwn arhosodd adref i wrando ar y newyddion un ar ddeg a gwylltiodd yn gacwn wrth fy nhad am nad oedd yr un sŵn yn dod o'r bocs.

"Mi ddyliach chi fod wedi mynd â'r batri gwlyb yna i'r garej i'w jarjio fo," meddai, ar ôl bod wrthi'n troi'r botwm am hydoedd.

Gan nad oedd Nain am golli'r newyddion dros ei chrogi, nid oedd dim i'w wneud ond mynd i dŷ Anti Sal i wrando, er mai allan i'r ardd gefn i chwarae yr aeth Robat John a minnau. 'Roedd yna goeden afalau fawr drws nesaf ac un o'r brigau yn pwyso drosodd i ardd Anti Sal, a chyn i'r newyddion orffen ac i Mam weiddi ei bod yn amser i mi fynd adre, yr oedd ugain o'r afalau mwyaf wedi eu cuddio tu ôl i'r can paraffîn yng nghwt glo Anti Sal.

Wnaeth Mam ddim byd ond wylo'n hallt ar hyd y ffordd adref, a Nain yn gwgu fel y diafol ei hun ar bawb.

"'Roeddwn i'n dweud ei bod hi'n dŵad ers misoedd," meddai, "a neb yn gwrando arna i."

"Be' sy' wedi dŵad, Nain?"

"Rhyfal, 'ngwas i."

"Ydan ni'n mynd i gael ein bomio, Nain?"

"'Dydi'r Hitlar yna ddim yn gall, wir. 'Rydw i wedi dweud digon wrth bobl ond 'doedd neb yn gwrando."

'Roedd Wil Bach a Twm Tŷ Corn wedi mynd i

43

ffwrdd ers misoedd ac ni wnaeth Nain ond prin ateb Magi Lisi, oedd yn eistedd yn yr haul ar ben y drws yn peintio ei hewinedd yn goch. Aethai'r Gwyddel adre at ei wraig ers tro ond yn awr yr oedd hi'n cadw oed â rhywun oedd yn beilot yn Llaniago ac Anti Sal yn dweud fod rhywun wedi ei gweld yn mynd i'r Black Lion yn y dref ar ei fraich.

"Dim rhyfadd gin i fod rhyfal wedi dŵad, wir," ebe Nain. "Mae'r hen fyd yma yn llawn pechod wedi mynd. Pan oeddwn i'n hogan ifanc, 'fyddai'r un hogan rispectabl yn meddwl am fynd drwy ddrws tŷ tafarn."

Eto nid oedd hi'n debyg i ryfel o gwbl. 'Doedd dim wedi newid ac ar ôl yr Ysgol Sul bûm yn eistedd ar ben y Domen Fawr ar fy mhen fy hun i gael amser i feddwl. 'Roedd yna fwy o awyrennau nag arfer, mae'n wir, ond nid oedd dim arall wedi newid. Tybed fyddai'r gelyn yn dod y noson honno? 'Roedd Mam wedi glanhau'r twll-dan-grisiau yn barod ond ychydig iawn o le oedd yno pan oedd pawb yn mynd i mewn hefo'i gilydd.

"Wel, mi gewch fy lle i, beth bynnag," oedd geiriau Nain. "Mae'n well gin i farw yn fy ngwely fel pob dynas gall arall."

Nid aeth neb i'w wely yn gynnar iawn y noson honno, pawb yn eistedd o gwmpas bwrdd y gegin yn disgwyl clywed sŵn bomiau'n disgyn a minnau'n gobeithio'n ddistaw bach y byddai'r ysgol wedi llosgi'n llwch erbyn y bore gan nad oeddwn wedi dysgu'r gwaith cartref roddodd

Ifans i ni y dydd Gwener cynt. Ond nid oedd sŵn yn unman ond sŵn y gwynt yn nhwll y clo.

Ar ganol bwyta ein swper yr oeddem pan ddaeth y gnoc ar ddrws y ffrynt.

"Pwy aflwydd sydd yna rŵan?" meddai Mam. "Ac yn y ffrynt, hefyd. Fydd neb byth yn dŵad i ddrws y ffrynt."

Aeth fy nhad i'r drws.

"Blacowt," meddai llais sarrug Puw Plisman, yn sgleinio ei fflachlamp i wyneb fy nhad ar ôl iddo agor y drws.

'Roedd helmed ddur ar ei ben a gas masg mawr fel un y milwyr yn hongian ar ei fron.

"Mae 'na olau yn dangos yn eich bleinds chi," meddai.

Cofiodd yn sydyn am y fflachlamp a'i diffodd. "Mae yna ddirwy am ddangos golau. Wyddoch chi ddim ei bod hi'n rhyfal?"

Aeth Mam a minnau i sefyll wrth y wal yr ochr arall i'r ffordd wrth ochr Huw a 'Nhad i weld beth oedd yn bod. Rhyw rimyn lleiaf o olau oedd yn dangos rhwng ochr y llenni du, trwchus a'r ffenest.

"Prin y medrwch chi ei weld o, Puw," meddai Mam.

"Mae o'n ddigon," oedd ateb swta'r plisman. "Wyddech chi y medr peilot Jyrman weld y golau yna o'r awyr a'n bomio ni i gyd?"

"Dew, chwarae teg rŵan, 'rhen Buw," ebe 'Nhad. "Golau pen pin ydi o. Gawsoch chi datws go lew yn yr ardd 'leni?"

Ond 'doedd Puw ddim yn mynd i droi'r stori ar

45

unrhyw gyfri. Welais i neb oedd wedi mynd mor bwysig â'r hen blisman ar ôl iddi ddod yn rhyfel. Ef oedd yr unig un yn y pentref â gas masg ar ei fron, a hwnnw wedi mynd i'w ben yn lân yn ôl pob golwg.

"Symans fydd hi," meddai yn chwyrn, "os na fydd y golau yna wedi diffodd ymhen pum munud."

Daeth Nain i sefyll i'r drws a golau'r lamp y tu ôl iddi yn taflu ei chysgod ar y ffordd fel cysgod cawr. Dechreuodd ddweud y drefn yn hallt wrth Puw.

Nid atebodd, dim ond dweud wrth fy nhad y byddai yn dod o gwmpas wedyn cyn y bore. Mi fyddai symans yn barod yn ei boced a phetai'n gweld golau wedyn, nid oedd fymryn o drugaredd i'w ddisgwyl.

"Ordors o'r dre, ychi," meddai, gan neidio ar ei feic.

"Gola, wir." 'Roedd Nain wedi gwylltio'n ulw. "Mi fyddai'n llawer rheitiach iddo fo ddal pobol ddrwg y pentra yma na dŵad i boeni gwragedd gweddw fath â fi. A pham, meddach chi, nad ydi o yn y trenshis fel pawb arall?"

"'Does yna ddim trenshis yn y rhyfal yma, Nain," eglurodd Huw fy mrawd.

"Wel, trenshis neu beidio, 'dydyn nhw ddim am ddŵad heno, mae gin i ofn. 'Rydw i am fynd am y ciando yna ac mae'n bryd i chitha fynd hefyd, os ydach chi am godi i fynd i'r ysgol bora fory."

PENNOD VI

Cymerodd fisoedd lawer i ni ddygymod â bod heb sŵn y corn chwarel. Cysgodd Mam yn hwyr am y tro cyntaf ers iddi briodi, yn rhy hwyr i yrru fy nhad at ei waith. 'Doedd yna ddim caniad saith i'w deffro bellach.

Nid oedd Nain erioed wedi clywed am y fath beth, meddai hi. Bu'r corn chwarel yn canu ers pan gafodd hi ei geni. Ond chanodd o ddim pan ddaeth y rhyfel, a byddai Anti Sal, hyd yn oed, yn cysgu'n hwyr lawer bore dydd Llun.

Nid oedd cloch yr eglwys i'w chlywed chwaith ac yn ôl Puw Plisman, fyddai neb yn ei chlywed hi na'r corn hyd ddiwedd y rhyfel. Ond a dweud y gwir, nid oedd cloch yr eglwys yn poeni rhyw lawer arnom ni gan mai i Seion y byddem yn arfer mynd ac nid oedd raid wrth gloch i'n galw i'r capel. 'Roedd gan arolygwr yr Ysgol Sul gloch fechan i'w chanu ar ddiwedd y prynhawn. Wnaeth o mo'i chanu hi y Sul cyntaf o'r rhyfel ond fe ddywedodd Puw wrtho ei bod yn gloch rhy fychan i'r Jyrmans fedru ei chlywed ac felly hon oedd yr unig gloch i'w chlywed yn y pentref drwy gydol y rhyfel.

Aethpwyd ag Ifan John a'r bachgen i ffwrdd yn ystod yr wythnos gyntaf. Jyrman oedd ei daid, a ddaeth i'r wlad yma ymhell cyn y Rhyfel Mawr, ac er bod Ifan John wedi ei eni a'i fagu yn y pentref 'roedd yn rhaid i bawb a gwaed y gelyn ynddo fynd i'r Eil o Man rhag ofn iddynt fynd yn ysbïwyr. Fe welodd Dafydd Bara Bach lond lori o filwyr arfog yn aros o flaen drws tŷ Ifan John a dau syrjant yn ei arwain ef a'r mab allan, a'r haul yn sgleinio ar eu bidogau.

Cymraes oedd ei wraig a 'doedd dim byd i'w hatal hi rhag cael aros yn y pentref ac ysgrifennu llythyr i'r Eil o Man unwaith y mis. 'Roedd Ifan John hefyd yn Gymro i'r carn ac yn ddigon diniwed, ond gwelodd rhywun ef yn loetran o flaen yr erodrom yn Llaniago a chan fod gwaed y gelyn yn dal i redeg drwy ei wythiennau 'roedd hynny'n ddigon.

Daeth pobl newydd i fyw i Tŷ Nant hefyd, tad a mam ac un mab tua'r un oed â Huw fy mrawd. Saeson uniaith oeddynt, a'r hogyn yn mynd i ffwrdd i ryw ysgol breswyl yn rhywle.

"Rhaid i ni wylio'r rheina," ebe 'Nhad. "Hen Jiws ydyn nhw."

"Seusnag ydyn nhw," meddai Nain ar ei draws.

"Seusnag o ddiawl!" gwylltiodd yntau. "Welsoch chi drwyn yr hen ddyn yna? Trwyn Jiw ydi hwnna neu mi fyta i fy nghap."

"Dew, 'does gin rhywun ddim syniad pwy ydi pwy wedi mynd efo'r hen ryfal yma," atebodd Nain yn ara deg. "Mi fedran nhw fod yn Jyrmans, reit hawdd, a neb yn gwybod. 'Roeddan nhw'n dweud ar y weiarles fod isio i bawb riportio pobol ddiarth i'r polîs."

"Mi ga' i air efo Puw Plisman pan wela' i o,"

meddai 'Nhad. "Mi fydd yr hen Puw yn gwybod beth i'w wneud."

'Roedd fy nhad yn iawn. Iddewon oedd y bobl. Fe aeth Huw, fy mrawd, i Dŷ Nant a thaflu carreg at y drws ffrynt. Pan waeddodd 'jiw, jiw' ar yr hen ddyn aeth hwnnw yn wyllt hollol a rhedeg ar ein holau ni a brws llawr yn ei law. Mae'n siŵr gen i fod yn gas ganddo sylweddoli fod Huw a minnau wedi gweld drwyddo a dod i wybod pwy ydoedd. Ond 'Jiw' maen nhw yn galw Dafydd Wiliam, Gelli Plas weithiau hefyd er nad yw ei drwyn hanner mor fawr â thrwyn hen ddyn Tŷ Nant.

"Fydd yna ddim ysgol weddill yr wythnos yma," ebe Ifans yn y gwasanaeth un bore Llun.

"Nefi blw! Wel, dyma syrpreis! Wel, diolch am y rhyfal!"

"Mae pawb ohonoch wedi clywed am blant bach yn cael eu bomio yn y trefi mawrion," ychwanegodd, ar ôl i'r sŵn ostegu rhyw ychydig. "Wel, maen nhw yn mynd i anfon plant bach fel chi o Lerpwl i aros yma hyd ddiwedd y rhyfel."

"Reffiwjîs, syr," gwaeddodd Idris Felin Isaf.

"Os clywa i rywun yn eu galw nhw'n reffiwjîs," ebe Ifans gan gochi clust chwith Idris â'i law dde, "mi fydd yn ddrwg yma. Ifaciwîs ydi'r enw. Plant bach diniwed o Lerpwl ydyn nhw yn dŵad yma am noddfa rhag y bomiau. Fyddach chi ddim yn hoffi cael eich bomio, yn na fyddach?"

"Na fyddan, syr."

"Ac felly 'rydw i'n gobeithio y byddwch chi i

gyd yn eu helpu nhw, iddyn nhw setlo i lawr a bod yn hapus yma."

"Byddan, syr."

"Mi fydd y plant bach yn cyrraedd nos 'fory ac yn dŵad i'r ysgol i gyfarfod y pwyllgor llety."

Ifans, Puw Plisman, Mrs. Huws Gweinidog a gwraig Arthur Stiward oedd y pwyllgor llety ac fe siarsiodd Puw yr holl drigolion y byddai'n rhoi symans i unrhyw un fyddai'n gwrthod cymryd ifaciwî dan ei adain, os byddai gwely gwag yn y tŷ.

"Mi gaiff o gysgu efo mi ac mi gei di fynd i gysgu efo Nain," meddai Huw, fy mrawd, y noson honno.

Ond am y pentre â Nain heb oedi, i ddweud ar ei phen wrth Puw Plisman nad oedd yr un ifaciwî yn dod i'n tŷ ni, am nad oedd yno ddigon o le.

Daeth pawb o'r pentre i'r ysgol y noson ganlynol i weld y plant bach o Lerpwl yn cyrraedd. Welais i erioed ddim byd tebycach i ffair wartheg, a phawb yn chwilio am y plentyn gorau i fynd ag o adref, tra eisteddai'r pwyllgor llety tu ôl i'r bwrdd yn bwysig. Gwnaeth merched y pentref lond bwrdd arall o frechdanau a sgons i'r plant a Harri'r Caffi wedi cyflenwi digon o lemonêd am hanner pris.

Plant bach yn union yr un fath â ninnau oedd geiriau Ifans yr Ysgol, ond pan ddaethant, eu masgiau dros eu hysgwyddau, a'u henwau'n sownd ar ddarn o bapur wrth eu cotiau, welais i erioed bethau mor annhebyg i ni. Aeth y brechdanau o'r golwg fel petaent heb weld bwyd ers

50

dyddiau, a'r cwbl yn siarad dim byd ond Saesneg. 'Doedd yr un ohonom yn eu deall na'r un ohonynt hwythau yn ein deall ni.

"*Bloody Welsh git!*" meddai un ohonynt wrth i mi ddal llond plât o sgons o'i flaen. Yr eiliad nesaf trawodd Huw ef dan glicied ei ên nes i damaid o frechdan gaws saethu o'i geg i ganol y platiaid sgons.

'Roedd Huw wedi dysgu rhyw gymaint o Saesneg yn y Cownti ac yn deall yn iawn. Fe wyddwn innau beth oedd '*bloody*' a '*Welsh*', ond 'doedd gen i yr un syniad beth oedd ystyr '*git*'.

"Dweud ti hynna eto, y crinci diawl!" gwaeddodd Huw yn wyneb yr ifaciwî, "ac mi fydda i yn dy daro di nes y byddi di 'nôl yn Lerpwl."

Oni bai i Ifans yr Ysgol, gwraig Arthur Stiward ac un o athrawon Lerpwl ddod i'w gwahanu, byddai wedi torri allan yn rhyfel go iawn rhwng y ddau.

"Mi ga' i afael arnat ti eto, llanc," ebe Huw dan ei wynt. "Y slym Lerpwl diawl!"

Yn ôl Huw, pethau budr oedd slyms. Ac 'roedd rhai ohonynt yn wirioneddol fudr, yn edrych fel pe baent heb weld dŵr a sebon ers pythefnos a llawer ohonynt, yn enwedig y merched, yn crafu eu pennau yn ddi-stop. Pump yn unig oedd wedi eu gwisgo yn eu dillad dydd Sul ac yn dweud '*please*' a '*thank you*' ac '*excuse me*' wrth bawb.

Fe ddywedodd Puw fod yn rhaid i Anti Sal gymryd un am fod ganddi ddau wely yn llofft Robat John. 'Roedd hithau wedi meddwl yn siŵr cael un o'r rhai glân mewn dillad dydd Sul, ond

51

erbyn iddi gyrraedd yr ysgol 'roeddynt i gyd wedi mynd, un i Puw, un i Mrs. Huws Gweinidog, un i Ifans yr Ysgol a'r ddau arall i Dic Bach Bwtsiar. Fedrai gwraig Arthur Stiward ddim cymryd yr un gan fod ei chalon yn ddrwg, meddai hi wrth Mam, ond pe byddai'n iawn fe gymerai lond tŷ gan fod ganddi dair llofft wag.

Pwtyn bychan gwallt cyrliog du ddaeth i dŷ Anti Sal, a digon o le i blannu tatws cynnar yn y baw dan ei ewinedd, a choler ei gôt yn grybibion. Edrychodd fel bwbach ar Robat John a minnau cyn torri allan i wylo'n hidl am ei fod wedi arfer cysgu yng nghesail ei chwaer yn Lerpwl a hithau bellach yn aros rywle yn y pentref.

"Don't worry, dear," ebe Anti Sal yn ei Saesneg gorau, *"you can sleep with Robat John."*

"Dydi hwnna ddim yn dŵad i gysgu efo fi," atebodd fy nghefnder. "Mi fydda' well gin i gysgu efo mochyn."

Ond gafael yn dynn yn llaw Joe Howard wnaeth Anti Sal a'i dynnu adre ar ei hôl. Wedi i bawb fynd, bu Robat John a minnau wrthi'n chwys domen yn cadw'r meinciau a'r byrddau a chael dwy frechdan jam a hanner sgon bob un am ein trafferth. Yna i ffwrdd â ni ar ras i dŷ Robat John i weld yr ifaciwî yn iawn.

Daeth Mam a Nain yno i gael golwg arno hefyd ac Anti Sal wedi gwneud swper fel cinio dyrnu iddo. Eistedd wrth y bwrdd yn cnoi ei ewinedd a phigo ei drwyn bob yn ail yr oedd yr ifaciwî, a phawb yn eistedd o'i gwmpas yn ei wylio fel petaem yn edrych ar fwnci mewn syrcas.

"Y peth bach," meddai Mam toc. "'Dydi o ddim yn licio lobsgows, mae'n rhaid, Sal. Dydi o ddim wedi'i gyffwrdd o."

A Nain yn rhythu o'r gongl ac yn dweud yn uchel, "Fedra i ddim diodda hen blant misi. Gad iddo fo, hogan. Fe ddaw o at y bwyd cyn y daw y bwyd ato fo."

"I want me moom and dad," meddai Joe Howard, wrth i Anti Sal gynnig llond plât o bwdin bara iddo. *"I want ter go to the poob to get me moom and dad."*

"Dew, be' ddywedodd o dywed?" ebe Nain, a dal ei llaw dros ei chlust i glywed yn well. "Mae o'n siarad mor gyflym fel na fedra' i mo'i ddallt o."

"Dweud ei fod isio mynd i dŷ tafarn i nôl ei fam a'i dad," eglurodd Mam iddi.

"Nefoedd fawr! Be' maen nhw wedi ei yrru i ni, deudwch? Anifeiliaid?"

"Slyms Lerpwl ydyn nhw," meddai fy nhad, wrth ddod i chwilio am Mam a Nain. "Sbiwch crafu mae o. Mae llond 'i ben o o lau."

"O, mi fydd yr hogyn bach yn iawn erbyn y bora," oedd yr unig beth ddywedodd Anti Sal. "Gweld pawb yn ddiarth mae o, y peth bach."

"Wel, 'rydw i wedi cael llond bol arno fo'n barod," meddai Nain, wrth chwilio am ei het. "Mae'n dda iddo fo nag ydi o ddim yn hogyn i mi, beth bynnag. Fyddwn i fawr o dro yn dysgu tipyn o fanars iddo fo."

Cafodd Anti Sal lond bol arno cyn diwedd yr wythnos hefyd. Fel petai'n dial arni, fe wlychodd

53

Joe Howard ei wely bob nos a rhoi llond pen o lau i Robat John fel y bu'n rhaid iddi olchi ei wallt mewn finegr poeth a'i gribo â chrib mân bob bore a nos.

Ysgrifennu i'w fam wnaeth hi yn y diwedd ac fe ddaeth hithau i'w gyrchu fo a'i chwaer yn ôl i Lerpwl. Ac yn ôl Anti Sal, 'roedd hi wedi lliwio ei gwallt yn felyn a golwg hen genawes ddi-gywilydd arni, ac arogl diod mawr arni pan ddaeth o'r pentre.

'Roedd dau ifaciwî yn Gelli Plas hefyd, ond dau wahanol iawn i Joe Howard, ac ni fuont yn hir cyn ymdoddi i'n cymdeithas yn hapus. Tua'r un oed â minnau ydoedd Tomi a'i chwaer, Jeni, ryw flwyddyn yn fengach. Buom yn chwarae â'n gilydd o'r cychwyn er eu bod nhw yn siarad Saesneg a ninnau'n eu hateb mewn Cymraeg. Ond cyn pen tri mis 'roeddem ni'n siarad â'n gilydd mewn Saesneg rhugl a Tomi yn medru dweud 'Cau dy geg y diawl bach!' fel Cymro.

Nid oedd Mam yn licio i mi chware hefo nhw, fodd bynnag, gan ei bod yn grediniol mai Tomi oedd achos y pryfed ddaeth i aros yn fy mhen i. Ond gwyddwn i'n iawn mai gan Robat John y cefais i nhw.

"Ew, 'rydach chi'n brifo, Mam."

"Cadw dy ben yn llonydd, hogyn, neu mi fydda' i yn brifo mwy arnat ti."

A dannedd y crib mân yn crafu fy mhen fel cyllyll wrth i Mam ei dynnu drwy fy ngwallt, a 'mhen i ar ei glin yn gorffwyso ar dudalen o'r *Herald.*

"Nefoedd, dyma i ti un fawr. A hen beth hyll! Hon ydi nain y cwbwl, yn siŵr i ti."

"Ga' i wneud, Mam? Ga' i wneud?"

A Mam yn rhoi'r lleuen ar ewin fy mawd a minnau'n gwasgu ewin y bawd arall arni nes ei bod yn clecian dros y tŷ.

Daeth Twm Tŷ Corn adre o Dunkirk ac aeth i eistedd yn y tŷ, yn synfyfyrio i'r tân heb ddweud yr un gair wrth ei fam, meddai Huws Gweinidog ar ôl iddo fod yno yn edrych amdano. Yr unig eiriau ddywedodd o wrth Huws oedd, "Mi oedd yna uffar o le, Huws bach, uffar o le!"

Pan ddaeth Wil Bach Drws Nesa adre am dro yr oedd ganddo dair streipen ar ei fraich ac 'roedd wedi gorffen dysgu bod yn beilot ers misoedd.

"Tyrd â stwmp i mi, Wil," meddai Huw fy mrawd wrtho pan ddaeth Wil i eistedd ar ben y bont i'n gwylio ni'n torri cnau â llechen drom.

Lluchiodd Wil y stwmp i'r afon a rhoi Wdbein gyfan a dwy fatsen i Huw. Yna eisteddodd eilwaith gan ddal ei fraich allan fel bod pawb oedd yn mynd heibio yn gweld y tair streipen. Ond ychydig iawn oedd yn mynd heibio, neb ond yr hen ddyn oedd yn byw yn Nhŷ Nant ac ni chymerodd hwnnw y sylw lleiaf ohonom.

Ond syllai Huw fy mrawd ar Wil Bach, syllu i'w wyneb fel petai yn un o dduwiau'r Incas y bu Ifans yn sôn amdanynt yn yr ysgol. Yna cymerodd gap Wil oddi ar ei ben a'i wisgo am ei ben ei hun, yn gawr.

"Wyt ti wedi lladd llawer o Jyrmans, Wil?" meddai, toc, fel petai lladd Jyrmans yn rhywbeth hollol naturiol fel dal silidons.

"Rhyw un neu ddau. Mi gefais i Heinkel wythnos d'waetha, bois bach. Bwled yn ei *fuel tank* o. 'Taech chi'n gweld *explosion* oedd yna, a darnau o'r *fuselage* yn fflïo heibio injian fy Spit i."

Yna dechreuodd chwerthin dros y wlad wrth ddweud hanes y peilot Heinkel, ei ddillad ar dân, yn ceisio agor ei barasiwt a hwnnw wedi llosgi'n golsyn ar ei gefn.

'Roedd Wil Bach wedi newid llawer, wedi mynd yn fwy o ŵr bonheddig ar ôl cael ei wneud yn syrjant. Siaradai lawer o eiriau Saesneg hefyd a phan oedd yn eu llefaru yr oedd yn union yr un fath â Sais go iawn. Ond yn ôl ei fam ni wyddai yr un gair o'r iaith pan oedd yn cario i Dic Bwtsiar cyn y rhyfel.

"Mi ddyweda' i un peth wrthach chi, lads," meddai, gan rwbio blaenau ei esgidiau yng nghoes ei drowsus i'w sgleinio, "Wêl y blydi dymp yma mohona i ar ôl y rhyfel. Mae yna fyd mawr yr ochr arall i'r dre yna, bois, a welith Dic Bwtsiar mo'r boi yma yn dreifio 'i fan o eto."

"Hei, glywaist ti am Twm Tŷ Corn?" gofynnodd Huw.

"Cachgi ydi o, siŵr," atebodd Wil. "Cachgi fu Twm erioed. 'Roedd arno fo ofn ei gysgod pan oeddan ni'n yr ysgol ers talwm. Be' arall wyt ti'n ddisgwyl gin gachgi?"

"Fe welodd 'Nhad nhw yn mynd â fo i ffwrdd ddoe mewn lori, dau *Military Police* efo rifolfars. Mi fydd yn ddrwg arno fo rŵan, yn bydd Wil?"

"*Absent without leave,* 'ngwas i. Synnwn i ddim na fyddan nhw yn 'i roi o ar y wal ac yn rhoi

57

bwlad ynddo fo. 'Dydi rhywbeth fath â Twm yn dda i ddim i neb, ysti. Mae o ofn ffeit."

"'Roedd o wedi gwerthu ei ddillad soldiwrs i Dafydd Wiliam ac wedi lluchio ei wn i'r afon fawr."

"Y blydi ffŵl iddo fo!"

Erbyn hyn yr oedd pentwr o blisgyn cnau ar ganol y bont a'm prif bleser oedd cael tynnu fy llaw drwyddynt ac edrych arnynt yn syrthio'n gawod felyn i'r afon islaw, fel dafnau o law yn syrthio ar Lyn Trobwll ym mis Awst. 'Roedd mil-oedd o ddail ar y ffordd ar ôl y gwynt mawr y noson cynt a cherddodd Huw a minnau adref drwyddynt gan eu cicio i bob man.

Yr wythnos honno cafodd Mam fwy o ddogn siwgwr nag arfer i wneud jam â'r eirin gafodd o Gelli Plas wedi i 'Nhad fod yno yn y gwair yn yr haf. Cawsom beth ohono i de er nad oedd yn barod i'w fwyta, yn ôl Mam, ond fedrai Nain ddim cyffwrdd brechdan, wedi mynd, heb gael rhywbeth arni i guddio blas y marjarîn.

"'Tydi Wil Bach Drws Nesa wedi newid ers pan mae o yn yr Er Ffors?" meddai Mam ar ôl torri brechdan arall i Huw.

"Mam, ga' i fynd i'r A.T.C. yn yr ysgol?" gofyn-nodd yntau ar ei thraws.

"Na chei."

"Ond Mam, mae Wil Huw a Dic Siop a phawb arall yn perthyn. Dim ond fi sydd heb wneud ..."

"Dim tra bydda' i byw. 'Dwyt ti ddim yn cael mynd i'r hen ddillad sowldiwrs yna."

"Dim sowldiwrs ydyn nhw. Er Ffors ydyn nhw, Mam."

"Yr un peth ydi ci a'i gynffon."

"Ond Mam. Plis?"

"Na chei," ebe Nain yn ei lle. "Chlywaist ti mo dy fam yn dweud, hogyn? Rŵan allan â chi i chwara neu mi fydd yn amsar gwely."

Ar ei ffordd allan o'r tŷ rhoddodd Huw gic nerthol i'r postyn giât.

"Blydi dynas, blydi dynas, blydi dynas!" meddai dair gwaith. Ac yna rhoddodd fagliad i mi nes fy mod ar fy hyd yn y dail crin ar fin y ffordd a'r gwaed yn ffrydio'n araf o'm dau ben-glin.

Fi oedd y ffrind gorau fu gan Tomi, Gelli Plas erioed meddai wrthyf pan oeddem yn eistedd ar ben bryn Cae Bach Dan Tŷ yn disgwyl i Dafydd Wiliam ddod â'r gwartheg i mewn i'w godro. Ef oedd yn godro'r cwbl ar ôl i Dafydd Wiliam gael crydcymalau yn ei law dde, a Jeni yn carthu bob tamaid. Fe ddywedodd Mam lawer gwaith y byddai'n rhaid iddynt weithio'n ddigon caled am eu bwyd gan Dafydd Wiliam.

Hanner Cymraeg a hanner Saesneg oedd ein hiaith ond deallai pawb ei gilydd i'r dim. 'Roedd Tomi ofn bron marw gweld y rhyfel yn gorffen gan fod yn well ganddo aros yn Gelli Plas na mynd yn ôl i strydoedd cefn Lerpwl. Rhaid ei bod hi'n dref fawr, meddyliais, y fwyaf yn y byd, gan nad oedd Tomi yn adnabod hanner y plant ddaeth i'r pentref gydag ef. 'Roeddwn i yn adnabod plant y pentref, bob copa walltog ohonynt. 'Doedd o erioed wedi gweld buwch mewn cae chwaith, cyn dod i'r pentre, na dafad, nac wedi cael wŷ yn gynnes o'r nyth i'w frecwast.

Ni welodd Tomi na'i chwaer erioed mo'u tad, ond 'roedd Wncwl Jim yn dod i gysgu efo'u mam weithiau. Fedrwn i yn fy myw feddwl am fy nhad yn mynd i gysgu at Anti Sal, rywsut. A 'roedd yna bump o blant eraill yn y teulu, pob un yn ieuengach na Jeni, ond nid oedd Wncwl Jim yn fodlon iddyn nhw ddod yn ifaciwîs.

'Doedd yr un o'r ddau erioed wedi cael lobsgows na thatws popty i ginio, ond yn Lerpwl, caent gwrw mewn potel a tsips mewn papur i swper ar nos Sadwrn. Nos Sadwrn y byddai Wncwl Jim yn curo Tomi hefyd, pan ddôi o a'i fam adref wedi meddwi. 'Doeddwn i ddim yn coelio pob gair â ddywedai, chwaith. Fyddai mam rhywun byth yn meddwi, yn ôl Robat John, dim ond y tadau.

Hoffwn Jeni gymaint ag yr hoffwn ei brawd a hoffwn hi yn llawer mwy na Meri Elin. Ond pan ddaeth y nyrs a siafio ei gwallt i ffwrdd bob blewyn i ladd y llau oedd ynddo, wnes i ddim edrych arni nes iddo dyfu yn ôl.

Credaf mai'r peth gorau a ddigwyddodd i mi yn fy mywyd oedd dyfodiad yr ifaciwîs. Bellach yr oedd yna ddigon o blant i ni chwarae â nhw, dim ysgol ond yn y bore i blant y pentre hyd y Nadolig, a phlant Lerpwl yn mynd yno yn y prynhawn. Erbyn y Gwyliau yr oeddem ni wedi dysgu digon o Saesneg i gael ein gwersi gyda'n gilydd drwy'r dydd. Ond 'doeddwn i ddim yn rhy hoff o'r hen athrawon Lerpwl yna, chwaith. Yr oedd un ohonynt, Mr Heicoc, yn fwy o glustiwr na hyd yn oed Ifans yr Ysgol.

Pan ddaeth yn ddiwrnod dyrnu yn Gelli Plas, cadwodd Dafydd Wiliam ei ddau ifaciwî adref o'r ysgol i weithio. Medrwn glywed sŵn yr hen injian ddyrnu yn chwyrnu mynd pan oeddem ni yn y gwasanaeth yn yr ysgol y bore hwnnw.

"Ein Tad, cofia'r morwr a'r hogia dewr o'r pentra yma sy'n fodlon rhoi eu bywydau dros eu gwlad," ebe Ifans wrth weddïo, a sŵn digri yn ei lais fel petai'n mynd i grio unrhyw funud.

Dyma Dafydd bach yn dangos concar dwy oed i mi yn slei ac Idris Felin Isaf yn rhoi pwniad iddo dan ei benelin nes i'r concar neidio o'i law a rowlio'n swnllyd ar hyd y llawr at draed Ifans.

"A chofia am y mamau . . . *see me after' sembly, boy* . . . a'r tadau sy'n disgwyl . . ."

Parodd sŵn hudolus yr injian ddyrnu y dydd hwnnw iddo fod yr hwyaf o fewn cof i mi a fi oedd y cyntaf drwy giât yr ysgol, ddiwedd y prynhawn. Adre â mi ar ras, heb loetran yr un eiliad. Newidiais i'm dillad chwarae heb i Mam orfod dweud wrthyf, a phan gyrhaeddais y gadlas 'roedd Tomi wrthi yn chwys diferol yn cario gwellt i ben y das. Ond pan ddringais i ben y das i'w helpu, dechreuodd Dafydd Wiliam weiddi'n groch o ben y dyrnwr. Fedrwn i yn fy myw ei glywed gan fod sŵn yr injian ddyrnu yn fy myddaru. Rhoddodd yr hen ffarmwr damaid arall o faco yng nghil ei geg a dod i fyny'r ysgol ar fy ôl.

"Cer i gario peiswyn i'r cwt mochyn, os wyt ti

61

isio gwneud rhywbeth, y cythral bach," meddai, gan weiddi yn fy nghlust.

"Mae'n well gin i helpu Tomi . . ."

Cododd Dafydd Wiliam y bicwarch yn fygythiol.

"Am y peiswyn yna neu adra y byddi di'n mynd. 'Dydi'r diawl bach yna ddim isio llawer o esgus i ddechra chwara," meddai, gan edrych i gyfeiriad Tomi, oedd wedi llwyr ymlâdd. "A fydd yna ddim owns o waith i'w gael o'i groen o a rhywbeth 'run fath â chdi yn poitshio ar ben y das yma hefo fo."

Ar y funud meddyliais am fynd adref a gadael iddo, ond yn sydyn cofiais am y swper dyrnu ac i ffwrdd â mi i chwilio am gwrlid.

Gogrynai'r peiswyn yn un gawod ddiddiwedd o grombil yr hen ddyrnwr mawr a minnau yn llwch o'm corun i'm sawdl yn ei hel i'r cwrlid a'i gario i'r hen gwt mochyn ym mhen draw'r buarth. Ni fu un mochyn yn Gelli Plas ers blynyddoedd ond daliai ei arogl yno o hyd yn y cwt, a oedd erbyn hyn yn hanner llawn o beiswyn glân, esmwyth fel gwely plu. Fedrwn i weld dim byd o'i le mewn cael seibiant bach, a neidiais i'w ganol nes bod cwmwl o lwch yn codi.

"Mi ddo' i i dy helpu di," meddai llais y tu ôl i mi, a daeth Jeni drwy'r drws isel ac eistedd wrth fy ochr yn swil.

"Wyt ti isio fferins?" gofynnodd, gan fynd i boced ei ffrog ac estyn tamaid o gyflaith cartref a'i gynnig i mi.

Wedi i mi dynnu'r peiswyn oedd wedi glynu'n

un clwstwr arno, a'i roi yn fy ngheg, gorweddais yn ôl yn braf i'w fwynhau. Un dda am gyflaith fu Mrs Wiliam, Gelli Plas erioed.

Eisteddai Jeni yno yn cnoi llawes ei ffrog ac yn edrych i fyw fy llygaid nes gwneud i mi deimlo'n rhyfedd, fel pe bawn ofn bod yno ar ben fy hun yn ei chwmni. Ni ddywedodd yr un ohonom air am hir, dim ond gwrando ar yr hen injian yn chwyrnu mynd yn y gadlas. Ond pan afaelodd hi yn fy llaw i'm helpu i godi, rhedodd rhyw iasau dieithr i lawr asgwrn fy nghefn ac yn sydyn roedd pen draw fy ngheg yn hollol sych.

"Chdi ydi cariad Meri Elin?" meddai yn sydyn.

Chwerthin yn uchel wnes i. "Fi yn gariad i honno? Paid â siarad yn hurt. 'Does gin i ddim cariad."

"Ga' i fod yn gariad i ti?"

"Os wyt ti isio." Fedrwn i yn fy myw edrych i'w hwyneb ac roedd fy llaw yn crynu fel deilen grin wrth i mi roi'r cwrlid dan fy mraich cyn ailafael yn fy ngwaith.

"Mi gei di daffi triog bob tro y bydd gin i beth, os doi di'n gariad i mi."

"Reit 'ta, ond cofia, 'dwyt ti ddim i ddweud wrth neb."

"Iawn," gwenodd.

'Roedd hi'n sgipio'n hapus ar hyd y buarth wrth fynd am y tŷ i helpu Mrs Wiliam i wneud swper i'r dynion.

Fe ddaeth mwy o ddynion i swper y noson honno nag oedd yn helpu gyda'r dyrnu. Pan oedd y dynion wrthi'n tynnu'r tractor oddi wrth y dyrnwr y daeth Ifan Bryn Llus yno, ac eto ef oedd y cyntaf yn eistedd wrth y bwrdd. Welais i ddim golwg o Moi Tŷ Gwyn yn gwneud dim yno ychwaith, dim ond sefyll â'i ddwy law yn ei bocedi yn gwylio Tomi yn cario gwellt. Eto 'roedd yn bwyta mwy na neb.

Cafodd Dafydd Wiliam ffurflen o'r dref er mwyn medru lladd oen at y swper ac yr oedd yno ddigonedd o fwyd, a Jeni a Mrs Wiliam yn cario i'r bwrdd yn ddi-stop.

"Mi fydd hi'n ddigon llwm arnon ni y gaea' yma os bydd yr hen ryfal yma yn dal i fynd," meddai Dafydd Wiliam, yn poeri baco i'r tân a hwnnw yn rhedeg i lawr y pentan yn afon goch, gan ferwi a ffrwtian yn y gwres.

Teimlwn yn ddigon cysglyd ar ôl yr holl fwyd a chlywn sŵn eu lleisiau yn mynd ymhellach, bellach oddi wrthyf.

"Sobor oedd hi ar hogyn Annedd Wen yna, yntê? Ei long wedi cael torpîdo. Dyna dri o'r pentra yma wedi mynd yn barod."

"Mi aiff ei fam o o'i cho' yn siŵr i chi, ac yntau yn unig blentyn."

"Wil Bach yna sydd wedi bod yn lwcus, fachgen."

"Dew, taw! Be' sy' wedi digwydd iddo fo?"

"Cael ei yrru i Singapôr efo'r Er Ffors yna mae o. Dew, mae'n braf arno, cofiwch."

"Lle mae fan honno, deudwch?"

"Dros y môr yn rhywla. Yn Japan, neu Tseina neu rywla felly. Un o'r gwledydd poethion yna,

64

lle maen nhw'n tyfu coconyts; haul braf yno haf a gaea'."

"Japan, ia? 'Rhoswch chi, 'dydi'r hen ddynion bach melyn yna ddim yn cwffio yn rhywla?"

"Yn Tseina ers blynyddoedd, ond ddôn nhw byth allan yn ein herbyn ni. Mae ganddyn nhw ormod o ofn yr Iwnion Jac i chi."

"Fe ddwedodd rhywun nad ydyn nhw yn gweld yn bell iawn. Maen nhw i gyd yn gwisgo sbectol tin-pot-jam efo gwydr tew."

"Fedran nhw ddim darllen na 'sgwennu chwaith. Anwariaid hollol ydyn nhw. Yn y jyngl y maen nhw'n byw, meddan nhw."

"Singapôr, ia? Wel mi fydd Wil Bach yn ddigon pell o'r hen ryfal yma, beth bynnag. Diolch bod rhywun yn saff. Diawl bach lwcus hefyd, yntê? Cael eistedd yn yr haul bob dydd a dim *rations* na blacowt na dim i'w boeni."

"Mae ei fam wedi ei siarsio i yrru bananas adra iddi hi. Maen nhw'n tyfu'n wyllt yn Singapôr, meddan nhw."

"Dew, 'dydi'r tipyn chwaer yna sy' ganddo fo wedi mynd yn hen jolihowtan wirion, dywed? Fyddai Magi Lisi ddim fel'na 'chwaith, ond mae hi fel gafr ar drana' ers pan ddaeth yr hogia eroplêns yna i Laniago."

"Paid â sôn, 'ngwas i, mae yna lond y lle o sowldiwrs yn dŵad yr wythnos nesa'. Maen nhw wedi gosod cytiau'n barod iddyn nhw ar y caeau sy'n rhedeg i lawr i'r traeth. Rhag infesion, meddai Puw Plisman. Mae'n edrych yn o ddu arnon ni rŵan."

'Roedd hi'n dechrau tywyllu wrth i mi gerdded adref, a sŵn awyrennau yn uchel yn yr awyr.

"Jyrmans ydyn nhw," meddai Huw. "Mi wn i'n iawn, achos mae ganddyn nhw sŵn gwahanol i'n rhai ni. Mynd i fomio Lerpwl y maen nhw, heno eto."

PENNOD VIII

Gan ei bod yn dechrau oeri a'r hydref yn mel-
ynu'r coed, rhoddodd Mam fricsen boeth wedi ei
lapio mewn darn o hen flanced yng ngwaelod y
gwely, ond er fy mod wedi blino mwy nag arfer,
ni fedrwn gysgu dros fy nghrogi. Darllenai Huw
yn ei wely a phob tro yr agorwn fy llygaid,
medrwn weld llygedyn bach o olau yn dod drwy'r
twll yn y pared.

'Roedd sŵn y dyrnwr yn dal yn fy nghlustiau a
darnau mân o beiswyn oedd wedi glynu yn y
chwys, yn mynnu cosi gwaelod fy nghefn. Bob tro
y caewn fy llygaid i geisio cysgu, cofiwn am
fachgen Annedd Wen a'i long yn cael torpîdo.
Rhaid fod boddi yn beth ofnadwy. Bu bron i mi â
boddi unwaith yn afon Gelli Plas, pan gefais lond
ceg o ddŵr wrth blymio i'r gwaelod. Beth petawn
i'n boddi go iawn, yr un fath â bachgen Annedd
Wen?

Ceisiais feddwl am rywbeth arall. 'Doeddwn i
ddim yn mynd i'r môr ar ôl tyfu, beth bynnag. I'r
Er Ffors yr oeddwn i am fynd, yr un fath â Wil
Bach Drws Nesa, ond nid yn beilot chwaith. A
chael mynd i Singapôr ac eistedd yn yr haul yn
bwyta bananas drwy'r dydd. 'Roeddwn i bron
wedi anghofio sut beth oedd banana, ac oren.
Beth oedd llwyth llong bachgen Annedd Wen
tybed? Biti i'r Jyrmans ei suddo hi os oedd hi'n

67

cario bananas. Oedd bananas yn suddo? Ynteu oedden nhw yno o hyd yn un carped melyn yn sboncio ar wyneb y môr?

Nid oedd neb yn cael mynd i lan y môr yn Llaniago wedi i'r milwyr gyrraedd yno. Dywedodd fy nhad eu bod wedi gosod meins ar hyd y traeth a gwifren bigog o'u cwmpas, a bod milwyr arfog yn gwylio nad oedd neb yn mynd yn agos atynt. Y diwrnod ar ôl iddynt osod y ffrwydron, rhedodd ci rhywun drwy'r gwifrau ar ôl cwningen a rhoi ei droed ar un ohonynt. Yr unig beth oedd ar ôl oedd darn o'i glust, ond fe ddaeth y gwningen oddi yno yn ddianaf, nes i un o'r milwyr ei saethu a'i bwyta i swper.

'Roedd gen i fwy o hiraeth am lan y môr na dim. Cyn y rhyfel, byddai Nain yn arfer llogi tacsi Robin Owen y Glo i fynd â ni yno am ddiwrnod ym mis Awst. 'Roedd digon o le yn y cerbyd i Nain, Mam, Huw, Anti Sal, Robat John a minnau. Yno y byddem ar y tywod drwy'r dydd a Robin Owen yn dod i'n cyrchu adref pan fyddai'r haul yn suddo dros y gorwel. Byddai Mam wedi gofalu dod â llond tun o frechdanau samon a Nain yn rhoi dwy geiniog bob un i ni i brynu hufen iâ gan y dyn ar y beic tair olwyn. Mae'r dŵr yn rhedeg o'm dannedd hyd y dydd heddiw wrth i mi gofio'r hufen iâ hwnnw cyn y rhyfel.

Nid oedd dim byd ar y ddaear yn well gen i na chael ymdrochi yn y môr a chwarae ar y tywod crasboeth, bwyta brechdanau samon a'r tywod yn crensian dan fy nannedd. Ond pan ddaeth y milwyr, daeth diwedd ar fynd i lan y môr, os oedd

68

yna lan y môr ar ôl. Bu lorïau wrthi am ddyddiau yn cario tunelli o'r tywod oddi yno i lenwi sachau i wneud cuddfan i'r milwyr oedd yn disgwyl y Jyrmans.

Fe gysgais o'r diwedd, a breuddwydio fy mod i a Jeni yn priodi ar ben tas wair Dafydd Wiliam ac yn mynd i fyw i'r tŷ bach oedd gan Meri Elin a Lora Mê ar ben y Domen Fawr.

Ymhen ychydig ddyddiau ar ôl i'r dyrnwr fod yn Gelli Plas bu bron iawn i Puw Plisman fynd â Robaits y Person i'r carchar am iddo ganu cloch yr eglwys ganol y bore.

Gwyddai pawb drwy'r wlad mai arwydd fod y gelyn wedi cyrraedd ydoedd sŵn cloch yr eglwys, ond tynnu yn y rhaff oedd wrth y gloch mewn camgymeriad wnaeth y person, meddai ef. Ond fe ddychrynodd pawb yn y pentref yn ofnadwy, pawb ond ni'r plant.

Pan glywodd y gloch yn canu, dywedodd Ifans yr Ysgol wrth bawb ohonom am fynd adref yn ddistaw bach, ei wyneb yn wyn fel y galchen. 'Roedd wedi dychryn gormod i roi clustan i Idris Felin Isaf am redeg ar hyd y rhodfa a baglu Miss Wilias, Standard Tŵ nes ei bod yn rhychu'r llawr.

Erbyn i ni gyrraedd y ffordd fawr, yr oedd Robaits y Person yn rhedeg fel dyn cynddeiriog o gwmpas y pentref, yn gweiddi fod popeth yn iawn. Bu'n ffodus dros ben na chafodd symans gan Puw, gan fod hyd yn oed arolygwr yr Ysgol Sul wedi rhoi'r gorau i ganu'r gloch bach erbyn hynny, rhag ofn i'r gelyn ddod ar ein gwarthaf.

Wedi sylweddoli nad oedd dim o'i le, medrodd Ifans ddal llawer o'r merched cyn iddynt fynd o'i olwg a mynd â hwy yn ôl i'r ysgol, ond 'roeddem ni wedi diflannu i ben y domen i guddio nes iddo fynd o'n golwg ac yna aeth pawb adref yn hamddenol ddigon.

Drwy'r prynhawn bu Robat John a minnau'n chwarae chwarel bach ar ben y Domen Fawr a'r merched yn brysur yn eu tŷ bach gerllaw. A thros ein pennau mewn twll yn chwilio am garreg sgwâr i'w hollti yr oeddem pan ddaeth sŵn ergydion o rywle.

"Saethu!" meddai Robat John, gan ollwng carreg ar ei droed heb deimlo dim.

"Choelia i fawr."

"Jyrmans!" meddai, a sŵn crio yn ei lais. "Mae'r Jyrmans wedi dŵad."

Dechrau chwerthin wnaeth Tomi a minnau nes i Lora Mê redeg tuag atom a phwyntio'n wyllt, ofnus i ben Tomen Tŷ Lôn.

"Mae'r Jyrmans wedi dŵad," gwaeddodd. "'Drychwch, soldiwrs efo gynnau. Maen nhw'n saethu go iawn. O mam bach, be' wnawn ni? Maen nhw yn mynd i'n lladd ni i gyd."

'Roedden nhw yn saethu hefyd ac yn taflu bomiau neu rywbeth tebyg iawn i fomiau. Medrwn eu gweld yn glir, yn rhedeg ar draws y domen a thân yn poeri o'u harfau.

Redodd neb yn ei fywyd i lawr y domen cyn gyflymed â ni y prynhawn hwnnw. Erbyn i ni gyrraedd yr ardd gefn yr oedd Nain a Mam a mam Magi Lisi Drws Nesa wedi clywed y sŵn ac yn sefyll ar ben y drws yn edrych o'u cwmpas.

"Terfysg sydd yna, deudwch?" gofynnodd Nain, gan synhwyro'r awyr i weld oedd arogl glaw yn y gwynt.

"Jyrmans, Jyrmans! Maen nhw yn saethu pawb ar ben Domen Tŷ Lôn," gwaeddais yn ei hwyneb, a rhuthro heibio iddynt am ben pella'r twll-dan-grisiau.

"Nefoedd, mae yna filoedd ohonyn nhw!" gwaeddodd Nain, yn craffu i ben y domen.

Rhuthrodd pawb ar draws ei gilydd, a mam Magi Lisi yn eu mysg, i'n twll-dan-grisiau ni, nes ein bod wedi ein gwasgu at ein gilydd fel sardîns mewn tun.

"Wnân nhw ddim byd i ni yn na wnân, Nain?"

Daeth y sŵn clecian yn nes, a sylfeini'r tŷ yn crynu a'r llestri gorau yn tincian yn erbyn ei gilydd ar y dresel.

"Yn na wnân, Nain?"

"Na wnân siŵr, 'ngwas i." A dagrau lond ei llais fel y byddai ar nos Sul wrth iddi ddweud 'Amen' ar ôl i Huws y Gweinidog orffen gweddïo.

"O, lle mae'r hogan acw?" llefodd mam Magi Lisi yn uchel.

"Oes yna ddim soldiwrs yn Llaniago 'na sydd i fod i stopio'r Jyrmans yma?"

"Maen nhw wedi lladd pawb yn pentra erbyn hyn."

"Wnân nhw ddim ein saethu ni yn na wnân, Nain?"

"Na wnân, 'ngwas i."

71

"Ond mae gin i ofn, Nain."

"Paid â chrio, 'nghariad i. Wnân nhw ddim byd i ti siŵr. O dad nefol, bydd drugarog wrth dy blant heddiw," meddai hithau. "'Rydan ni wedi byw yn bechadurus . . ."

"Ydach chi'n iawn, Nain? Wnân nhw ddim byd i chi."

"Ydw, 'mach i. 'Rydan ni wedi ceisio byw yn ôl dy ffordd di ac wedi mynychu Seion yn gyson ond pan oedd gwaeledd yn ein . . ."

"Maen nhw'n cnocio yn drws ffrynt," meddai mam ar ei thraws. "O be' wnawn ni?"

"Ewch i nôl Puw Plisman, rywun."

Cnocio eto a Nain yn dechrau canu yn ddistaw bach, "'Rwy'n gweld o bell y dydd yn dod . . ."

"Mae'n well i chi agor iddyn nhw neu mi fyddan yn llosgi'r tŷ yma i'r llawr," ebe mam Magi Lisi Drws Nesa, a'i llais yn crynu fel deilen ola'r flwyddyn ar bren derw. "Dyna maen nhw'n 'i wneud os ydi pobl yn gwrthod agor iddyn nhw."

Cnocio eto nes oedd y lle'n crynu a Mam yn mynd tua'r drws yn wyn fel drychiolaeth.

"Cofia siarad yn neis efo nhw!" gwaeddodd Nain ar ei hôl. "Cynnig panad o de iddyn nhw ac efallai na wnân nhw mo'n saethu ni."

Dychrynodd fy mam fwy byth pan agorodd y drws a gweld Puw Plisman yn sefyll yno.

"Mynd â neges o gwmpas y wlad yr ydw i," meddai'r plisman dan wenu. "Peidiwch â dychryn os clywch chi sŵn saethu hyd y lle yma ryw ben i heddiw. Mae yna neges wedi dŵad o'r dre' yn dweud fod soldiwrs yn mynd i ymarfer ar yr hen domennydd yma. Soldiwrs *ni* fyddan nhw a 'does dim isio i chi ddychryn os gwelwch chi nhw.''

"Tyrd â fo i mewn am banad," ebe Nain, yn gweiddi wrth i Mam gau'r drws yn glep yn wyneb Puw.

"Dall ynte byddar wyt ti'r hen lo?" gofynnodd hithau i gefn y drws, ac yna rhedodd i fyny'r grisiau i'r llofft a dechrau gweiddi crio dros yr holl ystafell.

Cawsom hwyl fendigedig yn mynd ar ôl y milwyr weddill y dydd hwnnw. Buom wrthi'n ddyfal yn hel y bwledi gweigion, nes bod ein pocedi'n gwegian ar y ffordd adref. Cafodd Robat John bump o rai cyfan, heb eu saethu, ond wedi iddo fynd i'w wely, aeth ei dad â'r cwbl i'w taflu i waelod y Twll Mawr.

PENNOD IX

Yn Festri Seion yr oedd llun o Iesu Grist yn hongian ar y mur. Cariai lusern yn ei law ac oddi tano 'roedd y geiriau, 'Na Ladd'. Adnod o'r Beibl odd hi, yn ôl Huws y Gweinidog, yr adnod ferraf yn yr holl Lyfr a phan fyddem yn y Band o' Hôp a Mr Huws yn sefyll o flaen y llun i siarad â ni, edrychai fel pe bai Iesu Grist yn dal y golau uwch ei ben, a'r geiriau fel petaent yn dod allan o'i geg, fel mewn comic.

Olaf oeddwn i am ganu, 'Tra Bo Dau' am i mi dorri allan i chwerthin yng nghanol yr ail bennill a chafodd Tomi y wobr gyntaf o ddwy geiniog. 'Doeddwn i ddim yn gofidio rhyw lawer chwaith gan nad oedd modd cael fferins yn unman heb y cwpons ac aethai pob Wdbein o dan y cownter ers misoedd, a chyda'r siopau yn hanner gwag, nid oedd arian o fawr werth i ni.

"Wnewch chi ein gollwng ni, Mistar Huws, os gwelwch yn dda?" meddai'r blaenor ar ôl i ni i gyd orffen canu ac adrodd a derbyn ein gwobrau.

Chwythodd y gweinidog ei drwyn yn swnllyd, yna sychodd ei lygaid â'r hances wen cyn ei rhoi'n ôl yn ei boced a chodi ar ei draed yn araf. Cododd ei law tua'r nefoedd a chau ei ddau lygaid yn dynn.

"Bydd gyda ni drwy'r nos heno, ein Tad . . ."

"Mae Dafydd Wiliam yn mynd i'r farchnad

'fory drwy'r dydd," meddai Tomi yn fy nghlust, wrth i ni wyro'n pennau dan y set.

". . . a chadw ni tan y bore . . ."

"Mi fedrwn ni chwarae ar ben das drwy'r pnawn."

"Cadw'n gelynion fel ninnau, canys ni wyddant pa beth y maent yn ei wneuthur . . ."

"Oes gin ti sigarét?"

". . . gad i ni fyw mewn hedd unwaith eto gyda'n . . ."

"Dwy Wdbein ac un stwmpan."

"Mi gei di geiniog am un Wdbein."

"Er mwyn Iesu Grist, Amen."

"Amen," meddai pawb ar ei ôl, a Tomi yn gwasgu'r Wdbein i'm llaw.

"Dau gyhoeddiad, gyfeillion," gwaeddodd y gweinidog wrth i bawb gychwyn am y drws yn haid swnllyd. "Oherwydd yr amgylchiadau, mae gin i ofn na fydd Santa Clôs yn medru galw yn y festri y 'Dolig yma."

"Yr hen Jyrmans yna yn saethu gormod, medda fo," ychwanegodd, a gwenu ar y plant bach yn y sedd flaen wrth iddynt ddechrau crio. "Ac mae o ofn iddyn nhw saethu'r ceirw. Ond peidiwch â phoeni, blantos, mae o wedi sgwennu llythyr ata i yn dweud y bydd o'n siŵr o ddŵad o gwmpas y pentra noson cyn y 'Dolig ac mae o am i bawb hongian ei hosan ar bost y gwely fel arfer."

"Mae gin i gyhoeddiad arall." Nid oedd diwedd arno. "Un pwysicach o lawer."

Gwnaeth i ni eistedd i lawr unwaith eto cyn mynd ymlaen.

"Yn ystod yr wythnos nesa yma mi fydd pobl yn dŵad o gwmpas i ofyn am arian gynnoch chi. Rhyngom ni a'r dre' 'rydan ni'n gobeithio hel digon i brynu Spitffeiar newydd sbon i hogiau Llaniago 'ma. 'Rydw i'n gobeithio y bydd pawb yn rhoi'n hael dros ben at achos mor dda. Ewch yn ddwfn i'ch pocedi, gyfeillion, er mwyn i ni gael bod o help i 'sgubo'r Jyrman cas yna oddi ar wyneb y ddaear."

Wrth i ni fynd drwy'r drws trois fy mhen i edrych ar y gweinidog a buaswn yn taeru fod llygaid llun Iesu Grist yn edrych arno.

"Hei, Emyr!" Daeth Robat John i'n tŷ ni fel milgi y Sadwrn dilynol a minnau ar ganol fy nghinio. "Mae yna Spitffeiar wedi syrthio ar ben Mynydd Gaer. Brysia, neu mi fydd hogia'r pentra wedi mynd â'r darnau gorau i gyd."

Cipiais damaid o frechdan oddi ar y plât ac i ffwrdd â ni ar draws y caeau. 'Roedd Nain wedi dweud lawer gwaith mai taro'r mynydd fyddai hanes un ohonynt ryw ddydd a hwythau yn hedfan mor isel, ac yn chwarae mig rhwng y creigiau.

Dwy filltir union oedd o'n tŷ ni i ben Mynydd Gaer ac erbyn i ni gyrraedd 'roeddem allan o wynt yn lân. Tua hanner y ffordd i'r copa daethom ar draws Puw Plisman, yn bustachu dringo, ei helmed ddur ar ei ben a'i gas masg ar ei fron.

Ond erbyn cyrraedd pen y mynydd—siom.

'Roedd bechgyn dillad glas Llaniago yno o'n blaenau. Wyddwn i ar y ddaear pam iddynt drafferthu dod gan fod yr awyren wedi mynd ar ei phen yn erbyn y graig yn y niwl ac wedi ei malurio'n ddarnau mân. Gorweddai yn un sbloet ar hyd y mynydd a'r unig ddarn o faint gwerth gafael ynddo oedd yr injian, ond 'roedd rhaff o'i chwmpas yn barod i atal neb rhag mynd yn agos ati.

Wedi i Puw Plisman a chriw o hogiau'r pentref gyrraedd, bu pawb wrthi'n ddiwyd yn helpu dynion Llaniago i hel y darnau o'r fawnog a dod â hwy'n bentwr taclus at ymyl yr injian. 'Doedd neb yn dweud dim os gwnaem ni gadw ambell ddarn bychan ond bu Idris Felin Isaf yn lwcus ryfeddol yn cael gafael ar bâr o esgidiau peilot, bron yn newydd. Medrodd eu taflu o'r golwg dros y wal heb i neb ei weld ac ymhen rhyw bum munud neidiodd yntau ar eu holau yn slei bach a'u cuddio mewn swp o redyn crin.

"Y peilot ydi hwnna, ysti," eglurodd Robat John wrth weld Puw Plisman yn helpu un o'r dynion i hel darnau coch, meddal oedd yn debyg iawn i rwber, a'u rhoi mewn sach bach ledr. "Mae o wedi malu yn rhacs yr un fath yn union â'i eroplên."

Rhaid ei fod yn dweud y gwir, achos 'doedd dim golwg o'r peilot yn unman a 'doedd wiw i'r un ohonom ni fynd o fewn canllath i'r sach ledr.

Pan aethom tua throed y mynydd y prynhawn hwnnw, yr oedd bron i sachaid o ddarnau Spitffeiar gan y bechgyn i gyd. Yn yr ysgol fore Llun

77

cefais ddeg o farblis am un darn, ugain o gardiau sigaréts am un arall ac am un a smotiau o waed arno cefais baced pump o Wdbeins gan Wil Jôs Ffariar.

Ymhen wythnos union yr aeth Idris Felin Isaf i ben Mynydd Gaer i chwilio am yr esgidiau. Ond pan roddodd hwynt am ei draed gwelodd fod darn o ffêr, a'r gwaed wedi fferru'n gacen arno, yn un ohonynt. Bu'n sâl fel ci ar hyd y ffordd i lawr ac yno mae'r esgidiau hyd heddiw, am wn i, y tu ôl i'r wal derfyn, wrth ymyl y gorlan.

Y Nadolig hwnnw bu Mam yn ddigon ffodus i gael cyw iâr o Gelli Plas i'n cinio. Ond moron wedi eu torri'n fân oedd yn y pwdin plwm. Nain glywodd rywun yn dweud ar y weiarles fod moron yn gwneud yn iawn yn lle cyraints, nad oedd modd eu cael am aur.

"Mi fyddai'n well gin i gael pwdin reis i ginio 'Dolig na'r 'sglyfath yma,'' meddai 'Nhad amser cinio, gan roi'r platiad pwdin o dan y bwrdd i'r ci.

"Weli di ddim o hwnnw eto am hir 'chwaith,'' oedd ateb Mam.

"Gweld be'?''

"Reis,'' meddai Mam. "O Japan neu rywle felly yr ydan ni yn ei gael o, yntê? A maen nhw'n cwffio yn ein herbyn ni efo'r Jyrmans, rŵan.''

A Wil Bach Drws Nesaf wedi mynd i Singapôr i eistedd yn yr haul. Newidiais fy meddwl am fynd i'r Er Ffors. 'Doeddwn i ddim eisiau cael fy ngyrru i Singapôr wedi'r cwbl. 'Roedd yr hen ddynion bach melyn yn medru gweld yn iawn ac yn medru gwneud pethau oedd yn amhosibl, fel mynd drwy'r goedwig ar gefn beic a saethu ein milwyr ni wrth y cannoedd, heb i neb eu gweld.

"Peidiwch â phoeni," meddai fy nhad yn bwysig, "mae'r Ianci yn y rhyfal rŵan. Mi fydd y cwbl drosodd cyn y 'Dolig nesaf i chi. Mi fydd yr Ianci yn dangos rhyw dric neu ddau iddyn nhw."

foncyff derwen wedi syrthio, wyneb yn wyneb, ei ffrog hi wedi codi dros ei phengliniau wrth iddo daflu'r blodau glas a dechrau rhwbio ei law drwy ei gwallt melyn, modrwyog.

"*Action stations!*" meddai Tomi yn ddistaw, gan gripian ar ei hyd i gael gweld yn well. Ond cyn gynted ag y cafodd guddfan dda i'w gwylio, cododd y ddau a mynd o'r golwg i ganol y coed.

Wedi eistedd yno'n llonydd am ryw ddeng munud, codasom ninnau ac yna i ffwrdd â ni o goeden i goeden i chwilio amdanynt, gan edrych ar y llawr wrth fynd, rhag ofn i ni sathru brigau crin a gwneud sŵn.

Yn sydyn cododd Tomi, a oedd ar y blaen, ei law a thaflu ei hun ar ei hyd wrth fôn derwen fawr.

"Fancw," meddai'n ddistaw bach wrth i Robat John a minnau gropian ar ein pedwar tuag ato. "Maen nhw yn gorwedd i lawr."

'Roedd y swyddog wedi rhoi ei gôt ar wely o fwsogl a gwair ifanc wrth fôn coeden rhyw ugain llath oddi wrthym, a'r ddau yn eistedd yno yn edrych i lygaid ei gilydd ac yntau'n chwarae â'i gwallt tra oedd hithau yn agor botymau gloywon ei siaced. 'Roeddem yn rhy bell i'w clywed ond weithiau deuai tincial hapus ei chwerthiniad hi i'n clustiau.

Ni fu'r ferch yn hir cyn diosg ei siaced a'i dei a datod botwm uchaf ei grys. Yna gafaelodd ei chariad amdani a'i thynnu i'r llawr ar ei ôl a'i chusanu.

"'Rydw i'n mynd i ben y goeden i gael gweld yn

well," meddai Robat John, ei lais yn gryg gan gyffro, ac i fyny'r dderwen ag ef fel wiwer.

"Watsia iddyn nhw dy weld ti'r ffŵl!"

"Fedran nhw ddim, mae 'na ormod o ddail," atebodd yntau, gan fynd i eistedd ar frigyn praff tua hanner y ffordd i fyny, a sbecian drwy'r dail.

Gafaelodd Tomi yn fy mraich a'i gwasgu'n dynn wrth weld y swyddog yn rhoi ei ben-glin rhwng coesau meinion Magi Lisi, a'i ffrog hithau yn codi i ddangos ei chluniau noethion.

"Argol fawr, sbïwch coesa', hogia!" medda Robat John, a'r brigyn oddi tano yn siglo.

'Roeddwn mor agos fel y medrwn weld y llinell ar ben ei chluniau lle darfyddai'r paent brown oedd hyd ei choesau yn lle sanau. Crynwn fel jeli, a'r chwys oer yn mynnu rhedeg i'm llygaid.

"Hei, mae o'n agor ei ffrog hi!" Clywais lais Robat John fel o bell.

'Roedd wedi agor botymau uchaf ei ffrog ac yn rhwbio ei dwy fron yn dyner. Dechreuodd Tomi chwerthin fel dyn o'i go a dechrau rowlio yn y gwair o dan y goeden, a minnau, yn chwys diferol, yn ceisio rhoi fy llaw ar ei geg ac edrych ar y ddau arall yr un pryd.

"Cau dy geg, neu mi fyddan nhw yn ein clywed ni."

"Whiwwww!" meddai yntau a'r dagrau yn rhedeg i lawr ei ruddiau wrth iddo chwerthin.

'Roedd dwy law Magi Lisi yn crafangu hyd gefn ei chariad, nes tynnu cynffon ei grys o'i drowsus a gadael ei gefn yn noeth i'r awel. Yna rhwbiodd ei gefn a chodi ei choesau i'w clymu amdano.

83

Bûm yn hir iawn yn methu deall beth oedd y sŵn cnocio yn fy nghlustiau nes i mi sylweddoli mai fy nghalon oedd yn curo fel gordd yn fy nhalcen yn rhywle.

"Hei, mae o yn rhoi ei law i fyny 'i sgert hi!" meddai Tomi'n sydyn, yn sobri drwyddo.

Gwingai Magi Lisi ar y ddaear wrth i'w chariad rowlio ei gorff i orwedd arni. Medrwn weld ei hewinedd cochion hi'n glir wrth iddi ei wasgu ati.

"Nefi blŵ!" meddai Robat John, gan bwyso ymlaen i gael gweld yn well ac anghofio nad oedd dim ond mur o ddail o'i flaen.

"O, mam bach!" gwaeddodd dros yr holl fyd, wrth syrthio rhwng y brigau fel colomen wyllt newydd ei saethu, a hanner ei drowsus chwarae yn chwifio fel baner ar y goeden.

Cododd y peilot ar ei draed fel saeth a hithau yn brysio i dynnu ei ffrog dros ei choesau, wrth i ni redeg drwy'r coed fel pe bai holl gythreuliaid y fall ar ein holau.

"Wyt ti'n meddwl ei fod o wedi ein 'nabod ni?" oedd cwestiwn cyntaf Tomi wedi i ni fynd ymhell o'r coed, a syrthio ar y cae i ddod atom ein hunain.

"Mi ddeudais i wrthat ti am beidio mynd i ben coeden, Robat John, y mwnci hanner call!"

"Be' tasa hi yn dweud wrth Mam? Mi fydd yna andros o syrcas wedyn."

"Dim peryg y deudith hi! 'Dydyn nhw ddim isio i bawb wybod be maen nhw wedi bod yn 'i wneud yn y coed yna, siŵr."

"O 'rwyt ti'n blydi ffŵl, Robat John, yn difetha'r cwbl!"

Pum munud o orffwys i anghofio, ac i ffwrdd â ni i ben y Domen Fawr i hedfan y Spitffeiar garreg a thaflu cerrig i ben tŷ gwair Gelli Plas, a chymryd arnom mai bomiau oedd gennym ac mai tanc y Jyrmans oedd y to sinc.

Yn ystod yr haf hwnnw yr oedd digon o awyrennau yn syrthio ar ochrau'r mynydd, ond ni ddaeth yr un gelyn i lawr, er i Huw ddweud eu bod yn hedfan dros y pentref bob nos.

Bob tro y clywem glec a gweld pwff o fwg du yn codi ar y mynydd, i fyny â ni yn syth ond methu cyrraedd o flaen dynion Llaniago a wnaem. Ond yna, wedi iddyn nhw gael yr injian, y gynnau, y clociau a hynny oedd yn weddill o'r peilot, byddai rhyddid i ninnau hel y darnau mân. Aeth un awyren i ganol y Llyn Du ar ei phen ac yno y mae byth, a'r peilot yn troi'n sgerbwd melyn i ddychryn y pysgod.

Gwydr y ffenestri oedd orau gan bawb. 'Roedd yn ddigon meddal i'w naddu â chyllell a gwneud pob math o bethau ag ef, gan nad gwydr ydoedd mewn gwirionedd ond rhyw fath o gorn trwchus. 'Roedd bechgyn Llaniago yn arbenigwyr ar ei droi'n dlysau a modrwyau i'w cariadon. Byddai Robat John a minnau'n gwneud modrwyau hefyd, wrth y degau. Torri twll ynddo â phrocer poeth i gychwyn ac yna naddu'r fodrwy o gwmpas y twll. Unwaith bûm wrthi'n galed am gyda'r nos gyfan yn cerfio un i Jeni i'w rhoi iddi pan oeddem yn chwarae yn y tŷ gwair. Ond gan fod procer Mam yn rhy fawr o lawer, 'roedd y fodrwy yn mynd yn well am ei harddwrn nag am ei bys.

"Hidia befo, mi wna i ei chadw yn fy mhoced i feddwl amdanat ti," meddai Jeni.

Ond dyna'r tro diwethaf i mi weld y fodrwy. Tynnodd Jeni ei hances o'i phoced yn sydyn yn yr ysgol un bore a neidiodd y fodrwy allan a rowlio at ddesg Miss Jones Cymraeg. Welodd Jeni mohoni byth wedyn, chwaith.

Ceisiais gael tamaid arall o wydr gan Huw, ond ar ôl iddo ymuno â'r A.T.C. 'roedd wedi mynd i edrych i lawr ei drwyn arnom ni braidd. Câi ef sgwario hyd y pentref yn ei iwnifform a mynd yn ôl i'r ysgol ar fore Sadwrn i ddysgu beth i'w wneud petai'n mynd ar goll yn y goedwig neu yn ei gael ei hun yn garcharor rhyfel.

Nid oedd sôn am yr A.T.C. yn y Central, ac yn ôl Huw fyddai bechgyn ein hysgol ni byth dragywydd yn cael mynd yn swyddogion yn yr Er Ffors. 'Doedd neb ond y bechgyn fu yn y Cownti yn ddigon da, meddai ef. Penderfynodd Bili a minnau ein bod yn mynd i'r fyddin. 'Doedd arnom ni ddim eisiau cael rhywun fel Huw fy mrawd uwch ein pennau yn yr Er Ffors yn dweud wrthym beth i'w wneud. 'Roedd yn ddigon drwg fel yr oedd ac yntau'n ddim ond cyw awyrennwr.

Dri diwrnod ar ôl i ni ei weld yn y coed, daeth Magi Lisi Drws Nesaf i'n tŷ ni. Newydd fynd i'm gwely yr oeddwn i ac ar fin cysgu pan glywais hi'n cnocio ar ddrws y cefn ac yn dod i mewn a dechrau crio dros y gegin. Gorweddais i lawr wrth ochr y gwely, codi'r mat a rhoi fy nghlust yn dynn wrth goed y llawr i fedru clywed yn well.

"Paid â chrio, 'nghariad i," clywn Nain wrthi yn ei chysuro, a Magi Lisi yn gwneud dim ond wylo'n uwch ac ochneidio dros y tŷ.

"Dyna ti!" meddai nain. "Gwna baned o de iddi, hogan, a tyrd dithau i eistedd ar y setl fan hyn, Magi Lisi, i ddŵad atat dy hun a dweud ti be' sy' wedi digwydd."

Dechreuodd fy ngwaed redeg yn rhewllyd drwy fy ngwythiennau. Agorais y ffenest a meddwl am ddianc oddi cartref yn hytrach na wynebu'r storm oedd yn siŵr o ddod toc, os oeddwn i wedi ei chyffroi gymaint wrth ei dilyn i'r coed. Yna clywn sŵn Mam yn tywallt y dŵr i'r tebot ar y pentan a Magi Lisi yn dal i ochneidio a chrio bob yn ail.

Yr arswyd fawr 'roeddwn i am wialen fedw os oeddwn wedi creu cymaint o helynt â hyn! Byddai Mam a Nain yn siŵr o'm lladd, rhyngddynt.

"Wyt ti'n teimlo'n well rŵan?" ebe Nain cyn hir.

'Roedd hi wedi stopio crio, beth bynnag.

"Dwed ti wrtha i be' sy' o'i le, hogan," meddai Nain.

"Mae o ar goll, Mrs. Wilias bach. Welwn ni byth mohono fo eto!"

Pwy ar y ddaear oedd ar goll ganddi? 'Roedd y peilot yno dan y goeden pan ddaethom ni o'r coed, ei grys yn hongian allan o'i drowsus.

Gwrando eto, a chlywed Nain yn gofyn, "Ar goll? Pwy sy' ar goll, dywed?"

"Mae Mam wedi cael teligram heno. Mae Wil Bach ni ar goll yn y jyngl yn rhywle ar ôl iddyn nhw saethu ei eroplên o i lawr. A maen nhw'n meddwl ei fod o wedi marw yno yn rhywle."

Ochneidiodd y tair dros y tŷ a rhoddais innau ochenaid o ryddhad. Diolch i'r drefn, meddwn wrthyf fy hun. Meddyliais yn siŵr mai dod acw i achwyn am i ni ei dilyn i'r coed yr oedd Magi Lisi.

'Roedd Nain yn ochneidio a snwffian a Mam a Magi Lisi yn udo'n uchel am hir.

"Fy mabi bach i!" meddai Nain toc. "'Does yna fawr ers pan oeddwn i'n mynd â fo yn y siôl ar hyd y ffordd i roi mymryn o help i dy fam. Babi oedd o pan oedd ganddi hi olwg amdanat ti . . ."

'Roedd y ciw yn ymestyn rownd cornel y siop pan euthum i chwilio am gig Sul i siop Dic Bach Bwtsiar ddydd Gwener.

"Os bydd yna rywbeth dros ben i'w gael," oedd geiriau olaf Mam wrth i mi fy hel fy hun am y drws, "tyrd ag o, a dweud wrth Dic Bwtsiar y dof i dalu amdano fo ddydd Llun."

"Welais i 'rioed ffasiwn beth," meddai wrth Nain, tra oeddwn yn chwilio am fy nghap. "Wedi byw ar gyflog bach o'r hen chwarel yna am flynyddoedd, a wedyn ar y dôl am fisoedd, a rŵan pan mae 'na bres bach del yn dŵad i'r tŷ yma 'does 'na aflwydd o ddim byd yn y siopau. Mi fyddwn yn medru rhoi y *ration* cig yna yn fy llygaid heb deimlo ei fod yno."

Llinyn hir o sosej oedd yr unig beth oddi ar y ddogn yn siop Dic Bwtsiar ac yntau a'i wraig wrthi'n ddiwyd yn pwyso dwy ar gyfer pawb oedd yn y ciw. Winciai pen mochyn arnaf oddi ar y cownter a deuai arogl *'penny ducks'* i chwyrlïo'n gymylau o dan y drws a arweiniai i'r gegin gefn, a thynnu dŵr o ddannedd rhywun.

"Nesa' plîs. Dwy sosej dros ben y *rations* i bob teulu," meddai Dic Bach yn uchel.

"'Does yna ddim golwg dyn dwy sosej arnat ti'r cranc," ebe mam Idris Felin Isaf o dan ei gwynt.

"Hanner pwys o sosej," meddai wrth Dic pan ddaeth ei thro.

"Sut ydach chi heddiw. Mrs. Elis?" meddai yntau'n siriol, gan bwyso dwy sosej frychlyd, oedd yn fwy o fara nac o gig.

"Hanner pwys ddwedais i."

"A dwy ddwedais innau."

"Ond 'dydi sosej ddim ar *rations* ac mae gin i hawl i gael unrhyw beth sydd ddim ar *rations*."

"Dwy i bawb, neu fydd 'na ddim digon i fynd rownd," atebodd yntau'n sur, ei wyneb yn dechrau cochi.

"Sut ddiawl wyt ti'n disgwyl i mi rannu dwy sosej rhwng chwech ohonon ni?" Poerodd mam Idris y geiriau i'w wyneb.

Aeth wyneb y cigydd yn goch fel y smotiau gwaed oedd ar ei ffedog, ac wrth synhwyro'r storm oedd yn y gwynt, diflannodd ei wraig drwy'r drws am y gegin, gan gymryd arni fod y llestri brecwast heb eu golchi.

"Ac mi fyddan wedi mynd yn ddim ar ôl eu ffrio," gwaeddodd mam Idris, "Fyddan nhw ddim yn ddigon i fwydo caneri."

Codi ei ysgwyddau wnaeth Dic Bach, ond er mwyn lliniaru ychydig arni estynnodd lwmp mawr o saim o dan y cownter a'i roi yn y papur wrth ochr y ddwy sosej.

"Rhywbeth bach i helpu'r ffrio," gwenodd.

"Ac mi gymera' i hanner y pen mochyn yna. Tynnwch y llygad i mi, plîs."

"Brôn, misus," atebodd yntau, yn codi'r pen.

"Pen wela' i," ebe hithau yr un mor sydyn.

90

"Wyddost ti mo'r gwahaniaeth rhwng pen mochyn a brôn, ddyn?"

"'Rydw i'n mynd i wneud brôn efo fo, Misus Elis," meddai Dic dros ei ysgwydd, yn mynd â'r pen mochyn am y gegin. "Mi fedar pawb gael sleisan fach wedyn."

"O. Hanner pwys o iau 'ta."

Chwarddodd Dic Bwtsiar dros y siop.

"'Dydw i ddim wedi gweld iau ers misoedd, ddynas fach!" meddai.

"Paid ti â mynd i ddweud c'lwydda wrtha i, Dic Bwtsiar. Mi ydw i yn dy 'nabod di'n rhy dda, 'ngwas i, a dy dad o dy flaen di."

"Misus Elis bach." 'Roedd yn apelio at bawb yn y ciw â'i ddwy law. "Wyddoch chi faint o gig gefais i yr wythnos yma? Dau oen, hanner mochyn a'r tamaid lleiaf welsoch chi o bîff."

Cipiodd mam Idris y ddwy sosej oddi ar y cownter.

"Aros di tan ar ôl y rhyfal, frawd," meddai'n flin, "a ddaw yr un o 'nhraed i drwy ddrws dy blydi siop di. Pwy ar y ddaear glywodd am oen heb ddim iau? Mae yna ddigon o iau a sosej yn mynd i dŷ Misus Huws Gweinidog ac i dŷ Arthur Stiward. Paid ti â meddwl fod pobl y pentra yma'n ddwl, y filain hyll."

Ceisiodd Dic Bach wenu wrth weiddi 'Nesa' plîs!' ond gwelwn ar ei wyneb ei fod yn berwi y tu mewn.

"Dwy sosej!" meddai Mam wedi i mi gyrraedd adref. "Be' aflwydd mae o'n ddisgwyl i mi 'i wneud efo dwy sosej? Pam na fyddet ti yn eu lluchio nhw'n ôl ato fo? Sawl sosej gafodd gwraig Ifans yr Ysgol, tybed?"

Nid oedd bodloni o gwbl ar rai pobl, ond wnes i ddim ceisio dweud wrthi fy mod wedi sefyll yn y ciw am dros hanner awr i'w cael.

"Waeth i ti befo fo, hogan," meddai Nain yn slei. "Maen nhw yn mynd i ladd mochyn yn ddistaw bach yn Llys Ifor yr wythnos nesa' ac mae Lisi Jên wedi dweud y bydd hi'n siŵr o gadw tamaid i ni. Mi gei di ddweud wrth Dic Bach Bwtsiar am gadw ei hen gig dydd Gwener nesa'. Hen gig di-flas sydd ganddo fo wedi mynd hefyd. Mi fyddai'n well gin i fwyta brechdan jam na'i hen gig felltith o."

Wyddwn i ar y ddaear sut y medrai neb ladd mochyn yn ddistaw ond dylai Nain wybod, oherwydd fe fu hi'n gweini ar ffermydd yr ardal am flynyddoedd pan oedd yn ferch ifanc.

Ond distaw neu beidio, cael ei ladd fu hanes yr hen fochyn yn Llys Ifor, ac yn hwyr y Sadwrn dilynol daeth Lisi Jên i'n tŷ ni a llond pwced o lo y cafodd ei fenthyg rhyw dro yn y gaeaf, ar ei braich. Yno, yng ngwaelod y bwced, wedi ei rwymo mewn darn o hen grys gwyn a phapur llwyd, 'roedd y darn hyfrytaf o borc a welodd dyn erioed, ac edrych arno yn ddigon i dynnu dŵr o ddannedd unrhyw un.

"Mi gofia i amdanat ti eto, Lisi," meddai Mam wrth ei hebrwng i ben y ffordd.

"Paid â sôn. Os na fedar rhywun helpu hen ffrindiau ar amser drwg fel hyn, 'dydyn nhw ddim gwerth eu halen. Mae o wedi mynd bron i gyd wrth roi tamaid i hwn a'r llall."

Rhaid eu bod wedi anghofio rhoi darn i rywun, fodd bynnag, oherwydd ymhen yr wythnos daeth Puw Plisman i Lys Ifor, a'i gi wrth ei sawdl. Yn ôl Lisi Jên 'roedd rhywun wedi achwyn arnynt, gan na fyddai Puw byth yn mynd â'r ci i unman. Ni fu'r hen fwngrel yn hir yn synhwyro o gwmpas y lle a chodi perfedd y mochyn o gongl y cae.

"Y diawl gwirion!" ebe Wmffra Jôs wrth y gwas. "Pam na fyddet ti wedi 'i gladdu o'n ddwfn, dywed? Mi fydd yn costio yn ddrud i mi rŵan."

Ugain punt o ddirwy a deg o gostau'r llys oedd y ddedfryd yn y dref, ac fe ddywedodd y barnwr wrtho mai carchar fyddai ei hanes pe byddai'n digwydd lladd mochyn arall heb drwydded a hithau'n ddyddiau dogni.

Hir oedd dyddiau canol haf wedi iddynt droi'r clociau ddwyawr ymlaen. Rhaid oedd i'r ffermwyr gael digon o olau dydd i weithio, dyna'r rheswm yn ôl dynion y weiarles ond yr oedd Dafydd Wiliam, Gelli Plas yn gandryll ulw.

"Yn y bore mae ffarmwrs call yn gweithio," oedd ei ateb, "ac mae'n dywyll bits yr adeg honno o'r dydd."

O ganlyniad yr oedd clociau Gelli Plas ddwy awr ar ôl pob cloc arall yn y pentref ac anodd iawn oedd gwybod pa bryd i fynd yno i chwilio am lefrith.

Cysgu oedd anoddaf, a'r haul yn tywynnu ar fy wyneb yn y gwely a hithau'n un ar ddeg o'r gloch y nos. Câi Huw fy mrawd a Robat John aros ar eu

93

traed yn hwyr a weithiau byddwn yn eistedd yn fy ngwely yn edrych arnynt drwy'r ffenest yn cicio tun yn Cae Dan Tŷ.

Ni soniwyd yr un gair am yr helynt yn y coed gan Magi Lisi na'i chariad ond bu'r ddau yn rhyw edrych yn ddigon rhyfedd arnom ni am amser maith. Ac aeth y ddau yn ddigon pell o'r pentref i garu yn y car wedi hynny. Fe'i gwelais hi'n dod adref un noson, a minnau'n eistedd yn ffenest y llofft yn methu cysgu, a golwg fel petai wedi bod rhwng y cŵn a'r brain arni wrth iddi fynd i'r tŷ dan ganu. Mynd i'r King's Head yn y pentref yr oedd hi, yn ôl Nain. 'Roedd llawer o'r merched wedi dechrau mynd yno'n hollol agored drwy'r drws ffrynt ers pan ddechreuodd merched yr ifaciwîs fynychu'r lle.

Ond credwn i, yn fy niniweidrwydd, mai canu am ei bod yn hapus yr oedd Magi Lisi gan iddynt gael teligram arall yn drws nesaf yn dweud fod Wil Bach yn berffaith saff.

"Maen nhw wedi cael hyd iddo fo, a mae o yn garcharor rhyfel," gwaeddodd Mari Teligrams yn y drws wrth roi'r darn papur melyn yn llaw mam Magi Lisi.

"Wel, diolch i Ragluniaeth!" meddai Nain. "Mi fydd o'n saff rŵan."

"Yn saffach o lawer nag yn fflïo yn yr hen eroplêns yna," meddai Mam.

"Mi gaiff lond ei fol o fwyd ac mi fydd allan o beryg yn y gwersyll yna."

"Ac mi gaiff ddŵad adre'n saff ar ôl i'r hen ryfal

yma orffen. Fydd raid i ni ddim poeni amdano fo eto, beth bynnag.''

Pan ddaeth Magi Lisi i'n tŷ ni, y noson honno, cefais godi o'm gwely a dod i lawr i'r gegin i yfed te efo nhw. 'Roedd arnaf ychydig o ofn, i gychwyn, ond ar ôl i Magi Lisi wenu'n glên arnaf a dweud fy mod yn tyfu, gwyddwn ei bod wedi llwyr faddau i mi, neu wedi anghofio.

"I ysgol Central yn y dre rwyt ti'n mynd, Emyr?" gofynnodd, pan oedd Mam yn tywallt te iddynt eu tair a choco i minnau.

"Ia."

"Wyt ti'n licio yno?"

"Ydw.''

"Wnaeth o ddim byd ohoni yn y sgolarship yna," eglurodd Mam. "Ei syms o yn wan, medda Ifans yr Ysgol.''

"Fedar pawb ddim bod yn glyfar yn na fedran, was?" meddai Magi Lisi, yn dal ei bys bach allan wrth yfed ei the, ac ôl y paent coch oedd ar ei gwefusau yn dew ar ymyl ei chwpan. "Yn Central y bûm inna hefyd, a 'dydw i ddim wedi gwneud yn rhy ddrwg, ysti. 'Roedd yr hen Ifans yr Ysgol yna yn tynnu fy ngwallt i ac yn dweud na welodd o 'rioed neb mor ddwl â fi. Ond synnwn i ddim nad ydi 'nghyflog i gymaint â'i un o heddiw.''

"Be ydach chi'n 'i wneud yn y ffactri newydd yna, Magi Lisi?" gofynnodd Mam, gan dywallt cwpanaid arall o de iddi.

"O, bwledi a *shells,* filoedd ohonyn nhw bob

gweld y byd, deudwch? 'Doedd yna ddim byd ond gweini ffarmwrs pan oeddwn i'n hogan ifanc," ebe Nain. "Dew, 'dydi'r byd 'ma wedi newid? 'Rydw i'n cofio pan oeddwn i'n bedair ar ddeg..."

"Mae Jim yn dweud y medar o gael joban i mi ar fy union," meddai Magi Lisi yn frysiog ar ei thraws cyn i Nain ddweud hanes ei bywyd wrthi. "Mae gin ei dad o fusnas mawr, ychi, ac mi fydd 'na ddigon o waith i mi."

"Be' wnân nhw efo'r ffactri yna yn pentra, ar ôl y rhyfal, tybad?"

"Dim byd, mae'n siŵr i chi, a rhoi pawb ar y dôl yr un fath ag o'r blaen. Ond, gyda lwc, mi fyddan nhw isio llawer o fwledi eto cyn i'r rhyfal orffan."

"Wel, 'dydi hi ddim yn ddrwg i gyd," meddai Nain, gan ddechrau procio'r cerrig duon yr oedd Robin y Glo yn ei alw'n lo gorau, yn y grât. "Mae'r hen ryfal yma wedi dŵad â gwaith i'r pentra a diolch i'r Bod Mawr am hynny. Ond cofia, tro nesa y daw yr hogyn yna yma, mae'n rhaid i ti ddwad â fo i 'ngweld i. Mi gaiff banad o de fel pawb arall."

"Mi wna i," gwenodd Magi Lisi. "Mi ddo' i â fo yma yr wythnos nesa. Mi gewch chi hwyl iawn efo fo."

Ond ddaeth Jim ddim i'n tŷ ni i nôl ei de. Cyn pen diwedd yr wythnos yr oedd yn crasu yn rhywle yng nghanol yr anialwch yng ngogledd Affrica.

Ar hyd canol y Cae Bach 'roeddem wedi torri
tyllau mawrion er mwyn cael eistedd ynddynt i
chwarae rhyfel a gwnâi hen foncyff coeden hir
wedi crino wn mawr ardderchog, nes i 'Nhad fynd
ag o adref a'i lifio yn goed tân pan oedd y glo yn
brin. Wedi rhoi to o frigau a dail crin a thywyrch
ar y tyllau 'roedd hi'n fwy clyd yno nag yn y tŷ
gwair, a phan fyddai gwynt miniog yr hydref yn
siglo'r hen goed derw cyfagos, byddem wrth ein
bodd yn ymwasgu at ein gilydd yno.

"Welaist ti gariad newydd Magi Lisi?" gofyn-
nodd Robat John. "Mae 'Nhad wedi ei gweld hi
allan efo un o'r sowldiwrs yna o Laniago."

"Mi fydd hwnna yn cael lle da." A dechreuodd
y tri ohonom chwerthin yn afreolus ac edrych ar
y merched.

"Hen hogia hurt ydach chi. 'Dydach chi ddim
yn gall!" meddai Lora Mê.

"Cau di dy geg, Lora Mê, neu mi fyddwn ni yn
dangos peth neu ddau i ti. 'Tasat ti wedi gweld
be' welson ni yn y coed yna gwanwyn dwaetha
. . ." Ninnau'n tri yn chwerthin eto, yn slei y tro
hwn.

"Be welsoch chi?"

"Mi welson ni rywbeth, yn do, hogia?"

'Roedd diddordeb lond wynebau Meri Elin a

Jeni, a Lora Mê yn cychwyn am adre, fel pe bai'n medru synhwyro beth oedd ar ddigwydd.

"Deud celwydd 'rwyt ti, Robat John. Welsoch chi ddim byd," meddai. "'Rydw i'n mynd adra. Wyt ti'n dwad Meri Elin?"

"Aros am funud bach," atebodd hithau a chwerthin lond ei llygaid.

"'Rydw i isio mynd *rŵan,* Meri Elin. Mi ddwedodd dy fam dy fod ti i ddŵad adra efo mi."

"Wel ffwrdd â ti 'ta," meddai Tomi, gan roi hergwd i Lora Mê drwy'r drws.

"Reit, mi ddeuda i wrth Mam," meddai hithau a'i llais yn mynd ymhellach oddi wrthym ond dweud beth, nid oedd gan yr un ohonom y syniad lleiaf.

"Be welsoch chi?" Rhoddodd Jeni winc slei ar Meri Elin wrth ofyn.

"Paid ti â holi. Mi welson ni Magi Lisi a'r offisar yna fuo efo hi, yn y coed, yn do, hogia?"

"'Dydi hynny'n ddim byd. 'Rydw inna wedi eu gweld nhw yn y car hefyd."

"Ond mi welson ni nhw'n caru."

"W! Yr hen gythral bach budur, Robat John," meddai Meri Elin yn cochi at ei chlustiau. "Be oeddan nhw'n 'i wneud?"

"Wyt ti isio gwybod?"

"Nag oes. Be'?"

Eisteddem yno yn hanner cylch ar y llawr, ein pennau yn pwyso at ei gilydd a phawb yn siarad yn ddistaw rhag ofn i rywun ein clywed ni.

"'Roedd o'n chwarae efo'i bronna hi . . ."

"W! Cau dy geg, Emyr Bach. Hen betha bach budur ydach chi."

"Ac mi 'roedd o yn rhoi ei law o dan ei sgert hi."

"Paid â dweud celwydd! Ew, hen betha budur!" meddai Meri Elin eto, gan godi ar ei thraed a mynd i sefyll wrth y drws. "'Rydw i'n mynd adra. Wyt ti'n dŵad, Jeni?"

Ond safai'r tri ohonom rhwng Jeni a'r drws a fedrai hi wneud dim ond eistedd yn y gongl yn llonydd. Safodd Meri Elin yn y drws yn cnoi cudyn o'i gwallt, ac wrth fod ei ffrog mor denau a'r golau y tu ôl iddi, medrwn weld siâp ei chorff yn glir a rhedai rhyw iasau dieithr, hyfryd i lawr asgwrn fy nghefn.

"Dangos hi iddyn nhw, Tomi," ebe Robat John yn sydyn.

Agorodd Tomi ei drowsus ar ei hyd a'r ddwy eneth yn dechrau sgrechian ac yn edrych i ffwrdd, bob yn ail ac edrych arno ef.

"Dangos di, rŵan," meddwn innau wrth Jeni, tra oedd Tomi yn cau ei drowsus. Ond cefais y glustan orau a gefais i erioed, ar draws fy wyneb, wrth iddi neidio am y drws ar ôl Meri Elin. Byddai wedi dianc o'n crafangau oni bai i'w brawd neidio am ei choesau a'i thynnu i'r llawr.

Safodd Meri Elin yn y drws yn ein herio, yn rhy bell i ni fedru cael gafael arni ond yn ddigon agos i weld beth oedd yn digwydd.

"Dim ond un waith," plediodd Robat John. "Wnawn ni ddim deud wrth neb. Tyrd yn dy flaen, paid â bod yn hen fabi fel Lora Mê."

'Roedd fy ngwddw yn sych fel carthen a blas y

glustan yn dal ar fy moch fel na fedrwn ddweud yr un gair.

"Tyrd, Jeni!" gwaeddodd Meri Elin o'r drws eto. "Gadwch lonydd iddi hi fynd, neu mi fydda i yn dweud wrth dy fam, Robat John."

Ond wnaeth Jeni ddim ond syllu'n fud ar y llawr. Toc dyma hi yn codi ei ffrog yn ara deg ac wyth pâr o lygaid yn syllu arni heb yngan gair.

"Dyna chi," meddai, yn tynnu'r trowsus bach glas i lawr dros ei phengliniau a ninnau wedi ein parlysu gan brydferthwch ei noethni. Trodd rownd ddwy waith, dan orchymyn ei brawd, i ddangos yn iawn, ac yna cododd ei dillad yn frysiog a gollwng ei ffrog cyn cerdded allan dan godi ei thrwyn arnom fel gwraig fonheddig. 'Roedd y tri ohonom wedi synnu gormod i fedru ei hatal.

"Wna i byth fod yn gariad i ti eto, Emyr," gwaeddodd wedi cyrraedd y ffordd fawr. "A chei di ddim taffi triog eto 'chwaith."

Ond cefais rywbeth llawer iawn gwell na thamaid o daffi triog y noson honno ac ar ôl hynny nid oedd ots gen i os byddai'r bechgyn yn fy mhryfocio drwy weiddi 'cariad Jeni' ar fy ôl.

Wrth i'r tri ohonom ymlusgo am adre yr oedd hi'n llwyd dywyll a medrem weld rhyw lewyrch o olau ymhell uwchben y môr wrth i ni ffarwelio â Tomi wrth y gamfa. Taerai Robat John iddo glywed sŵn saethu, ond gan fod y gwynt yn cwynfan yn y brigau uwch ein pennau, nid oedd yn hawdd iawn dweud.

"Mae yna rywun yn 'i chael hi yn y môr 'na

heno," meddai fy nghefnder. "Maen nhw'n mynd â chonfois drwadd yn y nos, ysti, rhag ofn i'r Jyrmans eu gweld nhw."

Cyn i ni gyrraedd tŷ Robat John daeth rhu uwch ein pennau a dechreuodd y gynnau mawrion oedd ar gwr y dre ysgubo'r nos â'u pelenni tân.

Pan oeddem ar ganol ein swper, gwaeddodd fy nhad yn sydyn o'r drws cefn, "Dowch allan i'r ardd am funud. Maen nhw yn werth eu gweld, yn union yr un fath â noson Gei Ffôcs."

Aethom ein pedwar ar ras drwy'r drws cefn i ryfeddu at y pelenni o olau coch a gwyn a gwyrdd oedd yn hongian yn yr awyr nes gwneud y wlad o gwmpas yn olau fel dydd, fel y medrwn weld cath ddu yn eistedd ar ben to tŷ gwair Gelli Plas yn glir.

"Bobol annwyl, be' sy' yna, deudwch?" meddai mam Magi Lisi, a golwg wedi cyffroi yn lân arni, wrth ddod i'r drws.

"Hogia Llaniago yna ydyn nhw," eglurodd fy nhad yn bwysig ryfeddol. "Dysgu fflïo yn y nos maen nhw, ylwch. Maen nhw'n fflïo o Laniago bob nos y dyddiau yma."

"Duw â'n gwaredo ni," llefodd Nain, wrth glywed sŵn awyrennau. "Maen nhw'n mynd i'n bomio ni."

"Fflêrs ydyn nhw, Nain, pethau i oleuo," meddai Huw fy mrawd, yn fwy gwybodus na'r un ohonom ar ôl ei ddyddiau yn yr A.T.C.

Dechreuodd egluro beth oedd pwrpas yr holl olau llachar i Nain, ond cyn iddo gael gorffen daeth clec o ochr y mynydd, ac yna rhes ohonynt, un ar ôl y llall, nes bod llwybr yr ardd yn crynu dan ein traed.

"Boms!" gwaeddodd Huw fy mrawd a Nain gyda'i gilydd ac am y tŷ â ni ar draws ein gilydd a syrthio i'r twll-dan-grisiau yn un anhrefn swnllyd o goesau a breichiau.

"O be wnawn ni? Be wnawn ni?" gwaeddai Nain yn groch.

"Peidiwch â gweiddi rhag ofn iddyn nhw'n clywed ni," meddai Mam wrthi'n gas.

"O, Iesu Grist bach, paid â gadael iddyn nhw ollwng bom ar ein tŷ ni. Wna i byth fod yn hogyn drwg eto . . ." Fyddwn i byth yn dweud fy mhader ar ôl i mi beidio credu mewn Siôn Corn ond fe gofiais yn sydyn fel y gweddïai Nain pan ddaeth y milwyr i ben y domen. Ond 'doeddwn i ddim yn gweddïo fel Nain, chwaith. Rhyw weddïo yn ddistaw yr oeddwn i ag un llygad ar agor rhag ofn i Huw fy mrawd sylweddoli beth oedd ar droed a thynnu fy nghoes i am y peth pan fyddai pob perygl drosodd.

'Roedd y clecian yn nesáu a sŵn llestri'n tincian yn erbyn ei gilydd ar y dreser dderw, wrth i'r tŷ ysgwyd ar ei sylfaen.

". . . 'Rydw i'n addo i ti rŵan na wna i byth wneud pethau drwg eto. Ar Robat John yr oedd y bai am i ni wneud i Jeni dynnu ei ffrog. 'Doeddwn i ddim isio iddi wneud, wir yr, rŵan. Wna i byth fynd ar ôl Magi . . ."

Roedd popeth drosodd. Nid oedd sŵn yn unman

ond sŵn Huw fy mrawd yn wylo'n ddistaw bach, a Nain yn cwynfan fel petai'n wael.

Gadawyd drws y cefn yn llydan agored pan ruthrodd pawb am noddfa, a llwybr melyn o olau yn disgleirio ohono i'r ardd. Dechreuodd Huw ddweud y drefn yn arw am i ni feiddio gwneud y fath beth a'r gelyn uwchben, ond fu fy nhad fawr o dro yn rhoi taw arno, drwy ei atgoffa mai ef oedd yr olaf un i ddod drwy'r drws i'r tŷ.

Pan aeth Robat John a minnau i ben y mynydd y diwrnod canlynol, 'roedd rhes o dyllau ar hyd ei wyneb, ac un neu ddau ohonynt yn ddigon mawr i lyncu tŷ deulawr. 'Doedd ryfedd fod yr ifaciwîs yn dod i'r pentre yr holl ffordd o Lerpwl.

"Meddylia di am y boms 'na yn gwneud twll fel yna yn nho tŷ rhywun," meddai Robat John yn ddwys.

Buom wrthi'n brysur weddill y bore yn hel darnau o'r bomiau oddi ar y mynydd. 'Roeddynt yn drymach na'r darnau Spitffeiar ac wedi plygu bob siâp, ond pan aethpwyd â nhw i'r ysgol drannoeth, yr oedd bechgyn y dref yn fwy na bodlon i dalu am damaid mewn marblis neu Wdbein.

PENNOD XIII

"Hôm Gard? Be ar y ddaear ydi peth felly, deudwch?" gofynnodd Nain amser te.

Edrychai 'Nhad yn bwysig dros ben y dyddiau hynny.

"Sowldiwrs, Nain," meddai, "sowldiwrs yr un fath â sowldiwrs go iawn ond ein bod ni yn byw adra ac yn mynd i'r adwy pan fydd y wlad yma ein hangan ni."

"O," meddai hithau, heb ddeall yn iawn eto. "Ond 'roeddwn i'n meddwl eich bod chi'n rhy wael i fynd yn sowldiwr."

"Peidiwch â dweud peth fel yna," 'Roedd dig yn llais Mam. "Mae o cyn iached â'r gneuen. Dim ond methu pasio yn A.1. i fynd i'r Armi am fod ei frest o'n ddrwg weithiau wnaeth o. A diolch i'r Drefn am hynny. 'Roedd ei dad o 'run fath yn union pan wnaeth o farw. Gormod o lwch yn yr hen sied yna."

"Ydach chi yn yr Hôm Gard, 'Nhad? Ydach chi'n mynd i gael gwn i saethu efo fo?"

"Wrth gwrs, 'ngwas i." Siaradai yn bwysig fel yr arferai wneud o'r sêt fawr amser Cyfarfod ysgol. "Mae'n rhaid i bawb wneud ei ran fel y medar o, ysti."

"Oes yna lawer o Hôm Gard yn y pentra?"

"Tua dwsin i gyd. Fi, a Dafydd Wiliam, Gelli Plas, Dic Ifans Pentra Dŵr, Wmffra Llys Ifor a

106

hogia'r pentra. Ac Ifans yr Ysgol ydi'r Capten, am ei fod o wedi bod yn offisar yn y Rhyfel Cynta.''

"Wel, wir,'' ychwanegodd toc, "fedra i ddim fforddio malu awyr yn fan hyn. Rhaid i mi fynd i newid a riportio yn yr ysgol yna rhag ofn i'r Jyrmans ddŵad a finna ddim yn barod.''

"Ydach chi'n meddwl eu bod nhw am ddŵad, 'Nhad?''

"Pwy, 'ngwas i?''

"Y Jyrmans, siŵr. Ydyn nhw am ddŵad yma a'n lladd ni i gyd?''

"Maen nhw'n siŵr o drio, un o'r dyddiau nesa 'ma i ti, ond paid ti â phoeni. Mi fyddwn ni'n barod amdanyn nhw. Os daw Jeri i ddangos ei drwyn yn y pentra yma, mi fydd yn difaru mwy nag a feddyliodd o erioed. Mi fydd yr Hôm Gard yn siŵr dduwcs o ddangos be 'di be iddo fo.''

Chwerthin yn uchel wnaeth Mam pan ddaeth Nhad i lawr o'r llofft wedi newid. 'Roedd yr iwnifform lawer yn rhy fawr iddo a chanol y trowsus mor uchel dan ei geseiliau fel nad oedd y bresus yn dda i ddim i'w ddal i fyny.

"Mi ro' i bwyth neu ddau yn y bresys yna i chi,'' meddai Nain, pan aeth fy nhad i'r drôr i chwilio am damaid o linyn i'w glymu am ei ganol.

"'Dydi stwff y brenin yma yn stwff da?'' meddai hi wedyn, wrth estyn ei esgidiau i nhad. "Welais i erioed 'sgidiau hoelion mawr cystal â'r rhain. Mi fyddan nhw'n bethau da ar y creigiau yn yr hen chwarel yna.''

107

"*Ammunition boots,* Nain," meddai yntau ar ei thraws.

"Be'?"

"*Ammunition boots* ydyn nhw, nid 'sgidiau hoelion mawr."

"O."

Aeth fy nhad i eistedd ar y setl i gau ei esgidiau yn ofalus o ara deg. Braidd yn hir i'w freichiau ydoedd y tiwnic hefyd, a'r geiriau '*Home Guard*', ddylai fod ar ben ei ysgwydd, rhyw hanner ffordd rhwng yr ysgwyddau a'r penelin. Y cap bach oedd yr unig beth oedd yn ei ffitio. Os rhywbeth, yr oedd hwnnw braidd yn rhy fychan, ond felly yr oedd i fod, meddai fy nhad ac, yn ôl Nain, pennau mawr oedd gan bawb o'i deulu.

Wedi iddo orffen gwisgo aeth fy nhad i'r cwt glo a dychwelyd i'r tŷ ac anferth o bastwn onnen praff a darn o ledr wedi ei hoelio ar ei flaen, yn ei law.

"'Dydan ni byth wedi cael gynnau," meddai. "Maen nhw'n brin ar hyn o bryd ac mae Ifans wedi dweud wrth bawb am chwilio am ei arf ei hun."

Trawodd y pastwn ar gledr ei law yn galed a golwg fygythiol ar ei wyneb wrth ddweud, "Os daw Jeri i 'nghyfarfod i, mi fydd y pastwn yma yn cael gair ag o."

'Doeddwn i ddim yn rhy siŵr o hynny 'chwaith, pan aeth Robat John a minnau i 'sbecian drwy giât yr ysgol arnynt yn ymarfer yn yr iard o flaen Ifans.

Deg ohonynt oedd wedi dod, ac Ifans mewn cap

a phig ar ei ben, a ffon fechan ddu yn ei law, yn addo pethau mawr i'r lleill am beidio â dod i amddiffyn eu gwlad mewn cyfyngder, a gadael y pentref yn hollol agored i'r gelyn.

I mi, fodd bynnag, 'doedden nhw ddim yn edrych fel dynion fyddai'n medru atal unrhyw elyn. 'Roeddem ni, ar ôl gweld llawer o ffilmiau yn yr ysgol, wedi gweld y gelyn yn disgyn â pharasiwt ac yn dinistrio gwlad ar ôl gwlad. Ychydig iawn o amser a gymerwyd i goncro Ffrainc, a digon o waith y byddai Hôm Gard y pentre yn medru ymladd yn well na llond gwlad o Ffrancwyr.

"Cachgi fu Joni Ffrenshman erioed," fyddai fy nhad yn arfer ei ddweud.

Ond wedi gwylio'r Hôm Gard yn ymarfer yn iard yr ysgol, 'fedrwn i yn fy myw deimlo yn saff yn y pentref bellach. Dafydd Wiliam, Gelli Plas oedd yr unig un a wisgai ei ddillad ei hun, wedi methu'n lân â chael iwnifform addas. Welais i erioed mohono mor ddel a glân, yn ei sgwario hi yn ei ddillad dydd Sul. Ef oedd yr unig un oedd yn cario gwn hefyd, un dwbwl baril, hynafol yr olwg arno. Yr oedd y lleill i gyd mewn iwnifform o ryw lun, ond heb wn, dim ond picwarch neu fforch deilo, neu bastwn fel un fy nhad, neu wn pren a chyllell fara ar ei drwyn yn lle bidog.

Aeth Ifans â hwy drwy'r ymarfer yn union fel y byddai'n rhoi ymarfer corff i ni yn yr ysgol a'r un mor filain hefyd. Pan ollyngodd Dafydd Wiliam y gwn dau faril i'r llawr yn glewtan, gwylltiodd yr hen brifathro yn gacwn.

"*As you were, Williams!*" rhuodd, wrth i Dafydd Wiliam blygu i godi'r arf.

Nid oedd yr hen ffermwr yn rhy hyddysg yn yr iaith fain ac edrychodd yn hurt ar Ifans am eiliad ac yna cododd y gwn a chwythu'r llwch oddi arno cyn ei roi yn ôl ar ei ysgwydd.

Ymhen rhyw hanner awr yr oedd ychydig gwell siâp arnynt ac i ffwrdd â nhw yn llinell hir drwy giat yr ysgol a thrwy'r pentref, a phawb yn neidio i ben y drysau i weld yr Hôm Gard yn ymdeithio. Aeth Robat John a minnau ar eu holau i'w gweld yn torri tyllau bob ochr i'r ffordd ar waelod Allt Gelli Plas. Wedi gadael dau ohonynt yno i wylio, aeth Ifans â'r gweddill i ben y Domen Fawr i luchio cerrig, gan gymryd arnynt mai bomiau oedd ganddynt.

Ond 'roedd hanner awr o wylio yn ddigon a throdd y ddau ohonom am adref. Cyn i ni fynd, ysgrifennodd Ifans enw Dafydd Wiliam yn ei lyfr am iddo ei regi am daflu carreg i ben y tŷ gwair.

Ar ein ffordd adre, pan oeddem ar waelod Allt Gelli Plas, neidiodd rhywun allan o gysgod y gwrych a gweiddi, "*Halt! Who goes there? Friend or foe?*"

'Roeddem wedi anghofio'n llwyr am y ddau wyliwr a adawyd yno gan Ifans.

"*Halt, who goes there?*" meddai Robin Owen y Glo wedyn, yn dod i'r ffordd ac yn anelu golau fflachlamp i'n hwynebau, er nad oedd yn dywyll o bell ffordd. "*Friend or foe?*"

"Ni sy' 'ma, siŵr," atebodd Robat John dan chwerthin.

110

Ond 'roedd chwerthin ymhell o wynebau'r ddau arall.

"Friend or foe?"

"Be'?"

"Dywedwch *'friend'*," meddai Dic Bwtsiar yn ddigon cas.

"Friend," meddai'r ddau ohonom gyda'n gilydd.

"Pass, friend," oedd ateb Robin, gan roi'r pastwn i lawr a gadael i ni fynd heibio.

"A chofiwch chi ddweud yn iawn y tro nesa'," gwaeddodd ar ein holau. "Neu mi fyddwn ni yn eich saethu chi fel Jyrmans."

Ond fedrwn i yn fy myw weld sut y medrai ein saethu â phastwn onnen.

"Wel, mi fydd rhywun yn medru cysgu yn well heno," meddai Nain ar ôl i ni gyrraedd adref, "o wybod fod y dynion yna allan i'n cadw ni rhag y Jyrmans."

Gwnaeth Ifans yr Ysgol ei orau glas i greu milwyr ohonynt, a chyn hir cyrhaeddodd y gynnau a dau fwled i bawb, a bu'n rhaid i Dic Bwtsiar fynd o flaen rhywun llawer uwch nag Ifans am iddo saethu cwningen gydag un ohonynt.

Ond pan saethodd Dafydd Wiliam dwll crwn yn ffenest y festri wrth ymdeithio ar hyd y ffordd, bu'n rhaid i bawb roi'r ergydion yn ôl i Ifans i'w cadw dan glo yn nrôr ei fwrdd.

"Mi fydda' i yn eu rhannu nhw i chi pan ddaw Jeri," meddai, gan gadw'r agoriad yn ofalus ar ben y cwpwrdd.

111

Bu'r gwn yn meddiant fy nhad am fisoedd, fodd bynnag, a chefais innau oriau o hwyl yn chwarae saethu ag ef drwy ffenest y llofft pan oedd o yn ei waith.

PENNOD XIV

Un dydd daeth dau o ddynion y Cyngor Sir i dorri rhes o dyllau crynion ar draws y ffordd wrth ymyl tŷ ni. 'Roeddent yn rhyw droedfedd a hanner o led a naw modfedd o ddyfnder. 'Roedd caead o goncrid a modrwy haearn ar ei ganol i'w godi, yn ffitio pob twll wedi iddynt orffen.

"Be' ydi'r rheina?" gofynnodd Robat John pan oeddem ar ein ffordd o'r ysgol.

"Pethau i stopio tanciau."

"Stopio tanciau?"

"Ia."

"Tanciau pwy?"

"Tanciau Jeri, siŵr. 'Dwyt ti ddim yn meddwl ein bod am stopio ein tanciau ni, debyg?"

Cododd un o'r dynion y caead oddi ar un o'r tyllau.

"Pan fydd y Jyrmans yn dŵad," eglurodd, "mi fydd y sowldiwrs yn tynnu'r caead yma ac yn rhoi mein yn y twll. Wedyn, pan ddaw tanc Jeri dros y twll a thanio'r mein, BWM! a dyna i ti un tanc Jeri yn llai yn y byd yma."

"O," meddai Robat John. "Be' 'tasa Jeri yn dŵad drwy'r caeau?"

Ni ddywedodd yr un ohonynt air, dim ond edrych yn syn ar fy nghefnder a'u cegau'n hanner agored.

"Achos mae tanc yn medru mynd drwy waliau

113

a thros ben ffosydd heb ddim lol o gwbl," meddai Robat John wedyn.

"Dydi o ddim byd i'w wneud efo ni," ebe un o'r dynion, gan ddechrau hel ei arfau at ei gilydd. "Y sowldiwrs yna ddwedodd wrthan ni am dorri tyllau. Eu busnes nhw ydi dweud yn lle i'w torri nhw."

Daeth y tyllau â llawer o bleser i ni, fodd bynnag, ac ni ŵyr Puw Plisman druan ddim hyd y dydd heddiw pwy dynnodd gaead oddi ar un ohonynt ar noson dywyll ym mis Tachwedd pan oedd yn dod o'r pentre ar ei feic. Yn y Cae Dan Tŷ y glaniodd Puw, a'r beic ar ei gefn, yr olwyn flaen wedi plygu bob siâp ar ôl iddi fynd i'r twll. Ond ei fai o oedd y cwbl. 'Roeddem wedi bod yn chwilio am fodd i ddial arno ers iddo roi cweir i Tomi am roi tân ar lwyn o eithin a hithau'n amser y blacowt.

Ond 'roedd mwy yn ein pennau ni nag ym mhennau dynion y Cyngor Sir. Rhag ofn y byddai tanciau'r gelyn yn torri ar draws y caeau, fe wnaethom ninnau dorri tyllau ar draws Cae Dan Tŷ. Bu'r tri ohonom wrthi bob gyda'r nos am wythnos gyfan yn tyllu ac erbyn gorffen, yr oedd y twll mor ddwfn fel bod rhaid i Tomi a minnau afael ym mraich Robat John i'w godi ohono.

Wedi i ni ei orffen yn iawn, fedrai neb ddweud fod twll yno o gwbl. Gwnaeth Tomi do o frigau crin arno a thywyrch ar ben y cwbl fel yr edrychai yr un fath yn union â rhan o'r cae. 'Roedd Robat John yn wyllt am i ni ofyn i Lora Mê gerdded ar ei draws i weld beth fyddai'n digwydd, ond pwy ddaeth heibio un bore Sadwrn ond Ifans yr Ysgol a chriw o blant swnllyd wrth ei gwt. Cariai pob un ohonynt fag papur i hel ffrwyth y rhosyn gwyllt i helpu i ennill y rhyfel. 'Roedd rhywun yn rhywle yn fodlon talu tair ceiniog y pwys amdanynt, a phan welodd Ifans lwyn rhosyn gwyllt yn feichiog o'r aeron cochion, boliog yng nghanol y cae, cerddodd yn syth ar draws y twll cuddiedig.

Yn ôl y plant yr oedd ei iaith yn wahanol iawn i'r hyn ydoedd yn y ysgol wrth iddo ddiflannu o'r golwg. Cyn i'r nos ddisgyn dros y wlad daeth yn ei ôl, a'r Hôm Gard gydag ef, i lenwi'r twll â phridd, a'r bagiad o egroes gwerthfawr yno o hyd yn ei waelod, meddai fy nhad.

Cyn inni adael ysgol y pentre nid hel egroes ond hel papur oedd popeth gan Ifans. Yr oedd papur yn werthfawr ofnadwy yn ôl yr awdurdodau ac oni bai ein bod yn hel pob tamaid a dod â'r cwbl i'r ysgol, byddai'r gelyn wedi ein goresgyn ers misoedd.

"Mi fydda' i'n anfon i ffwrdd am ffilmiau i'w dangos i chi ar ôl i chi hel llond lori," meddai wrthym un bore.

Cario'r papur i'r ysgol yr oedd pawb wedyn, hen gomics, bagiau te, papur llwyd a phapur menyn. Un diwrnod cafodd Mam lond bocs o hen *Drysorfa'r Plant* ers pan oeddwn i'n fachgen bach, tu ôl i'r wardrob yn y llofft, a bu'n rhaid i mi gael Robat John i'm helpu i'w cario i gyd i'r ysgol.

Anfonodd Mrs Tomos Tŷ Isa, mam Dic Dew oedd yn dwrnai yn y dref, neges i'r ysgol i ddweud fod ganddi lond pob man o bapur a bod angen i ryw-un fynd yno i'w gyrchu. Idris Felin Isaf a minnau gafodd y fraint fawr.

"Wyddoch chi lle mae Misus Tomos Tŷ Isa yn byw?" gofynnodd Ifans.

"Yn Tŷ Isa, syr," oedd ateb parod Idris.

"Wyddoch chi lle mae Tŷ Isa?" rhuodd y prif-athro wedi cynnig clustan i Idris.

"Gwn, syr, ym mhen draw'r pentra."

Rhoddodd sach flawd wag bob un i ni ar ôl gwasanaeth y bore, ac ymhen chwarter awr 'roedd y ddau ohonom yn cnocio wrth ddrws cefn Tŷ Isa. Dim ond hanner llond un sach o bapur oedd ganddi wedi'r cwbl a rhannwyd ef rhwng y ddwy sach flawd. Cawsom ddwy geiniog bob un ganddi am ddod i nôl y papur a mynd â'r cwbl oddi ar ei ffordd.

"Chi sydd biau'r arian," gwenodd, "a Mistar Ifans sydd biau'r papur. Wedi bod yn llnau llofft yr hogyn Richard yma yr ydw i a'i hen lyfrau coleg o ym mhob man ac yn da i ddim i neb erbyn hyn."

"Hidiwch befo, Misus Tomos," meddai Idris. "Mi fydd Mistar Ifans yn siŵr o wneud Spitfire efo nhw."

"Dwy geiniog bob un a dim un cwpon i gael fferins," meddwn wrtho ar ein ffordd yn ôl tua'r ysgol.

Arhosodd Idris ar ganol y ffordd i feddwl am ychydig, ac yna meddai, "Tyrd ti hefo fi, boi. 'Does dim rhaid cael cwpon i gael fferins os ei di o gwmpas pethau y ffordd iawn."

116

Yn syth i siop Annie Winnie ag ef, a minnau yn dynn wrth ei sawdl. 'Doedd 'na fawr ddim oddi mewn ond llond y ffenest o focsys gweigion ers cyn y rhyfel, rhyw ddwsin o bryfed glas wedi marw ers yr haf cynt, ac ychydig o boteli hanner gwag o fferins yma ac acw hyd y silffoedd. Gan fod y ffenest mor fudr, 'roedd hi'n dywyll fel y fagddu yn y siop ac arogl llwch a henaint ac oel lamp dros y lle.

"Be' ydach chi isio?" meddai llais gwan Annie Winnie o gysgod y drws a arweiniai i'r gegin gefn, ar ôl i Idris agor a chau'r drws dair gwaith i ganu'r gloch.

Winciodd yntau yn slei arnaf a gofyn ar un gwynt, "Mae Yncl Jac yn gofyn ydach chi isio wyau? Mi fedr o sbario tri yr wythnos yma medda fo, os ydach chi isio rhai, a plîs oes yma fferins heb ddim cwpons, a dwy Wdbein?"

Daeth Annie Winnie i lawr y grisiau o'r drws tuag atom, ac edrych dros ei sbectol arnom, a golwg fel ei bod yn ymyl wylo arni.

"Tri wy?" meddai. "Ond 'dydi pobl yn ffeind, deudwch? 'Dydw i ddim wedi gweld wy ers misoedd. Brensiach y bratiau! Wrth gwrs 'mod i isio wyau. Ti sydd am ddŵad â nhw i mi?"

"Mi ddo' i â nhw nos fory. Oes gynnoch chi fferins heb ddim cwpons?"

"Cofia di ddweud diolch yn fawr wrth Jac rŵan."

"Oes isio cwpons i gael y lemon giali yna?"

Aeth Annie Winnie i'r drws yn araf deg ac edrych yn ofalus i fyny ac i lawr y ffordd.

117

"Wyddoch chi ddim pwy ydi neb y dyddiau yma," meddai'n ddistaw bach fel pe bai ofn i rywun ei chlywed. Yna estynnodd y botel lemon giali a'i rhoi ar y cownter.

"'Dydw i ddim i fod i werthu hwn heb gwpons," eglurodd. "Cofia di beidio dweud wrth neb, neu mi fydd yn ddrwg arna' i. Faint wyt ti 'i isio?"

"Gwerth ceiniog, ac un Wdbein. Ac mae Emyr isio gwerth ceiniog o licis bôl ac Wdbein arall."

'Roedd ceg Idris wedi melynu a f'un innau fel petawn wedi bod yn bwyta glo, wrth i ni fynd drwy'r caeau yn ôl am yr ysgol. Trwy'r ffordd fawr y byddai pawb arall yn mynd ond nid oedd brys o gwbl, yn ôl Idris.

"Dim ond dwy iâr sydd gin dy Yncl Jac, a 'dydi'r rheiny ddim yn dodwy," meddwn wrtho.

Chwarddodd yntau nes bod y lemon giali yn ffrydio o'i geg ac i lawr ei ên yn un afon felen.

"'Roeddwn i'n meddwl fod yna fwy yn dy ben di nag ym mhen Annie Winnie. Mae honna yn ddigon hurt i goelio unrhyw beth."

"Ond be ddeudith hi pan ddaw yna ddim wyau?"

"Dweud wrth Mam, mae'n siŵr," meddai yntau, yn hollol ddidaro. "Ond mae'r fferins yma yn werth clustan neu ddwy."

"Mi awn ni i Lyn Corddi i chwilio am benbyliaid cyn mynd yn ôl i'r hen jêl yna," ychwanegodd, pan oeddem yng nghanol y caeau, ac 'roedd arnaf fwy o ofn Idris nag ofn Ifans yr Ysgol i wrthod.

Dringo'n llafurus i fyny tuag at y llyn a gweld

ei wyneb yn un clwstwr o jeli llyfant. Llithrai yn un sglefren hir drwy'n dwylo wrth i ni ei godi i hen dun samon wedi rhydu gafodd Idris yn y brwyn ar y lan. Ac wedi cael llond y tun, nid oedd dim i'w wneud ond ei daflu yn ôl i'r dŵr. Petaem yn mynd â'r sothach i'r ysgol, byddai Ifans yn gwybod ar unwaith ymhle y buom mor hir. Bu'r ddau ohonom am oes yn ceisio glanhau'r mwd oddi ar ein hesgidiau â sypyn o wair sych, ac yna i ffwrdd â ni ar draws Glofa Bach tua'r ysgol.

"Mae'n chwith ar ôl y corn chwarel i gael gwybod faint o'r gloch ydi hi."

"Mi ddwedwn ni fod y sachau'n drwm a bod rhaid i ni ddŵad yn ara deg efo nhw."

Ond wedi cyrraedd yr hen sied ar ben y domen, meddai Idris yn sydyn, "Mi gawn ni olwg ar y gwds gynta', cyn i Ifans gael 'i bump arnyn nhw."

Gwagiwyd y sachau ar lawr y sied. Hen lyfrau ysgol a choleg oeddynt bron i gyd, ond eu bod yn llyfrau llawer mwy trwchus na'r rhai 'roeddem ni wedi arfer ysgrifennu arnynt.

"'Dydw i ddim yn mynd yn dwrna os oes raid 'sgwennu gymaint â hyn yn y coleg," meddai Idris, gan dorri tudalen un ohonynt i wneud awyren bapur.

"Dew, papur da i wneud eroplêns hefyd," meddwn innau, wrth ei gweld yn hofran am hir o gwmpas y sied. "Mi fedar Ifans wneud heb un neu ddau o'r llyfrau yma'n iawn."

Pan gychwynwyd yn ôl am yr ysgol, yr oedd

mwy na hanner y baich wedi ei guddio mewn hen dwll yn wal y sied.

"Mae'n amser chwarae yn barod. 'Rydan ni wedi bod am awr a hanner. Mi fydd Ifans yn lloerig!" Bu bron i ni'n dau gael ffit yn y fan a'r lle wrth sylweddoli faint o'r gloch oedd hi.

Rhwbiais fy llaw ar ben ôl fy nhrowsus wrth gofio un mor greulon â'r ffon ydoedd Ifans.

"Be' wnawn ni, Idris?"

"Gad ti bopeth i Idris, was. Mi awn ni i chwilio am flewyn mochyn," atebodd yntau dan wenu.

"Be' aflwydd wnawn ni efo blewyn mochyn?"

"Maen nhw'n dweud os rhoi di flewyn mochyn ar dy law wrth gael y ffon, y bydd y blewyn yn torri'r ffon yn rhacs mân," chwarddodd Idris. "Wyt ti'n gêm i drio?"

Ar lan Twll Glofa Bach yr oedd Dic Bwtsiar yn cadw dau fochyn, a phan gyrhaeddodd Idris a minnau'r fan, nid oedd neb o gwmpas yn unman.

"'Rydach chi wedi cael gweddill cinio'r ysgol bob dydd, y diawlad diog," meddai Idris wrth y ddau fochyn a ddaeth â'u trwynau at y giat wrth ein gweld yn nesu. "Rŵan, be' am i chi dalu amdano fo, bois?"

Neidiodd dros y giât a glanio'n ddel ar gefn un o'r moch. Yr eiliad nesaf yr oedd Idris druan yn rowlio mewn cymysgfa wlyb o fwd a thail moch. Ond cyn i'r mochyn ei daflu oddi ar ei gefn, medrodd gael gafael mewn dyrnaid o flew caled, du oddi ar fôn ei gynffon.

"Lle 'rydach chi wedi bod?" oedd cwestiwn

120

cyntaf Ifans wrth i ni gerdded i mewn yn tynnu'r sachau papur ar ein holau.

"Nôl papur, syr."

Crychai Ifans ei drwyn wrth i ni ei ddilyn tua'r ystafell ddosbarth.

"Yn y dre y buoch chi yn ei nôl o?"

"Nage, syr. Tŷ Isa."

"Out, boy," rhuodd yn ein hwynebau, a gwneud i ni sefyll y tu allan i'r drws am hir yn gwrando arno yn dysgu diarhebion i Standard Ffôr. Toc daeth drwy'r drws a ffon fain yn ei law.

"Hold out your hand, boy."

Medrwn weld y pentwr blew mochyn ar gledr llaw Idris o'r lle y safwn. Gafaelodd Ifans yn ei arddwrn, a chodi ei law at ei geg, a chwythu arni. Daeth cawod o flew mochyn i chwyrlïo o gwmpas llun y brenin oedd yn hongian ar y wal. Wnes i ddim byd ond ochneidio a gollwng y blewiach oedd ar fy llaw innau.

Anaml iawn y deuai Joseff bach, yr Iddew ddaeth
i fyw i Dŷ Nant, i chwarae â ni. Byddai i ffwrdd
mewn rhyw ysgol breswyl yn rhywle y rhan
fwyaf o'r flwyddyn, ac ni fyddai adref ond yn
ystod y gwyliau. A phan fyddai gartref ni fentrai
allan i chwarae â'r gweddill ohonom. Ni welais i
mohono erioed mewn dim ond ei ddillad gorau ac
ni chredaf fod ganddo'r ffasiwn beth â throwsus a
chlwt ar ei ben ôl, na hosan a thwll yn ei sawdl.
'Doedd ei rieni ddim yn rhy fodlon iddo gymysgu
â phethau fel ni ac ni welais Joseff erioed yn y
capel, nac yn yr ysgol Sul na'r *Band of Hope*.
Aeth Tomi i'r drws unwaith a gofyn i'w dad a gâi
ddod allan i chwarae, ond ni ddywedodd hwnnw
yr un gair, dim ond cau'r drws â chlep yn ei
wyneb.

Gwisgai Joseff sbectol bob amser, ac âi i'r siop,
hyd yn oed, yn ei ddillad dydd Sul. Yn ei ddillad
gorau y daeth i nôl llefrith i Gelli Plas pan
oeddem ni wrthi'n ddiwyd yn chware Hôm Gard
yn y cae bach.

"Halt, who goes there?" gwaeddodd Tomi arno a
dal gwn pren o flaen ei drwyn i'w atal.

Ni chymerodd Joseff yr un sylw ohono.

"Stop, mate," meddai Robat John yn Saesneg,
gan ein bod yn medru siarad yr iaith cystal â'r un
Sais erbyn hyn. *"Friend or foe?"*

Fi oedd yn cael y fraint o fod yn swyddog y noson honno ac i'r ffordd â mi i gael gweld beth oedd o'i le.

"Wnaiff o ddim dweud y paswyrd," eglurodd Tomi.

"Dowch ag o i mewn," meddwn innau, yn ceisio siarad yn chwyrn fel y byddai Ifans yr Ysgol yn ei wneud yn yr Hôm Gard.

Oni bai fod piseraid o lefrith yn ei law, byddai Joseff wedi codi stŵr, ond 'roedd arno ofn colli'r llefrith gymaint fel y daeth i'r cwt rhwng y ddau arall yn ddistaw bach.

Cymerodd Robat John y piser oddi arno a'i osod yn ofalus ar ben y wal.

"Tria di ddianc, y crinci," meddai, wrth weld yr Iddew yn dechrau ymlafnio â Tomi, "ac mi fydda i'n rhoi cic i'r blydi pisar yna."

Bu hynny'n ddigon i beri iddo eistedd ar y llawr fel mul, ei ddau benelin dan ei ên, heb ddweud gair.

"Lle 'rwyt ti wedi bod a lle 'rwyt ti'n mynd?" gofynnais iddo.

Dim ateb.

"Ateba'r offisar," meddai Tomi, gan roi pwniad iddo yn ei ochr â blaen ei wn. "Neu mi fyddan ni yn dy roi di ar y wal ac yn dy saethu di."

"Lle 'rwyt ti'n mynd?"

"Adra," meddai'n fulaidd.

"Hen Jiw wyt ti, yntê?"

Nid atebodd, dim ond syllu'n fud ar y llawr.

"'Dydan ni ddim isio Jiws yn pentra yma. Wyt ti'n clywed?"

Tynnodd Tomi sbectol ein carcharor ac edrych drwyddi.

"Dwêd mai Jiw wyt ti ac mi gei di dy sbectol yn ôl."

"Olreit. Jiw ydw i."

"Jyrman sbeis ydi'r diawlad!" gwaeddodd Robat John. "'Roedd 'Nhad yn dweud neithiwr mai sbeis ydyn nhw. A mae o am ddweud wrth Puw Plisman."

Ciciodd Tomi Joseff yn ei ben-glin, nes ei fod yn gwichian fel mochyn ac yn rowlio hyd y llawr, yn gafael yn dynn yn ei goes.

"Y babi cythral!" meddai Robat John. "Yr hen Jyrman sbei! Mi fydd y soldiwrs yna o Laniago yn saethu dy dad wedi i ni ddweud wrthyn nhw. Wyt ti'n clywad? Mi fyddan nhw yn ei roi o i sefyll yn erbyn y wal ac yn 'i saethu o, a dy saethu dithau hefyd."

Dim ond gorwedd yn y llaid yn wylo'n ddistaw bach wnaeth Joseff. Yna cododd ar ei eistedd yn sydyn ac meddai, "Os gwnewch chi adael i mi fynd, mi gewch damaid o daffi."

"Lle cest ti daffi?"

"Mam wnaeth o."

Gafaelodd Tomi yng ngholer ei grys a'i dynnu tuag ato. Fedrwn i yn fy myw beidio â chwerthin wrth weld yr olwg ofnus, hurt oedd ar wyneb Joseff.

"Lle cafodd dy fam siwgwr i wneud taffi?" ebe Tomi yn chwyrn. "Mae'n rhaid i ni roi surap melyn yn ein huwd i frecwast am fod siwgwr yn brin a dy fam yn wastio peth i wneud taffi."

"Y Jyrmans sydd yn ei roi iddyn nhw am fod yn sbeis," meddai Robat John ar ei draws.

"'Dydw i ddim yn sbei a 'dydw i ddim yn Jiw." 'Roedd Joseff yn gwylltio yn ara deg. "A 'dydi 'Nhad ddim yn Jiw chwaith."

"Mae'n ddigon hawdd dweud os mai Jiw ydi o," gwenodd Tomi, ac yna dyma fo'n sisial yng nghlust Robat John a minnau.

Wedi i ni stopio chwerthin, aeth Tomi i sefyll wrth ben Joseff.

"Tynna dy drowsus," meddai.

"I be'?" Gwasgai'r Iddew ei freichiau am ei ganol mewn ofn.

"Er mwyn i ni gael gweld. Mi fedrwn ni ddweud os mai Jiw wyt ti. Maen nhw'n wahanol i hogia'r pentra. Mae o'n dweud hynny yn y Beibl."

Cododd y llall ar ei draed yn sydyn ond nid yn ddigon sydyn. Neidiodd Tomi amdano a'i daflu i'r llawr.

"Dal ei droed dde," gwaeddodd.

"Aw! Mae ganddo fo gic fel mul."

"Daliwch o'n llonydd, hogia."

"Lwc owt, mae rhywun yn dŵad."

"Hei, Dafydd Conshi," meddai Tomi, wrth i'r tri ohonom anghofio Joseff ac edrych tua phen yr allt. "Dafydd Conshi, myn dian i. Mae Conshi'n well na Jiw."

Hanner cyfle oedd ddigon i Joseff. Wedi cipio ei sbectol a'i biser, i ffwrdd ag o am adref. Arhosodd eiliad i daflu carreg atom o ochr y domen, ond

gan nad oedd y creadur wedi arfer taflu cerrig fel ni, glaniodd yn ddigon pell oddi wrthym.

Aethom ein tri i swatio yng nghysgod y wal i wrando ar Dafydd Conshi yn nesáu dan chwib-anu. Yn ôl fy mam, Dafydd oedd yr hurtyn mwyaf yn y pentre, yn cael ei hel o'i swydd dda yn clercio yn y dre am fod arno ormod o ofn mynd i'r Fyddin. 'Roedd y bechgyn eraill i gyd wedi mynd i wynebu'r gelyn ac yntau yn byw'n braf adre, yn gwneud dim dros ei wlad, a heb ofn cael ei anfon adre mewn bocs a'r Iwnion Jac yn dynn amdano. Bu'n rhaid iddo fynd i weithio ar fferm gyfagos hyd ddiwedd y rhyfel, ond nid oedd pobl y pentref yn mynd i anghofio, byth, nac yn mynd i adael iddo yntau anghofio, chwaith.

Fe'i gwaharddwyd o Noson Lawen yr eglwys y noson cyn y Nadolig a bu'n rhaid iddo fynd yr holl ffordd i'r dre i gael torri ei wallt, gan i Huw Barbwr wrthod yn glir â gadael iddo fynd drwy ddrws ei siop.

"Os wyt ti'n meddwl fy mod i'n mynd i dorri gwallt rhyw 'sglyfath fel chdi, a'r ddau hogyn 'cw 'n cwffio yn yr Aifft, 'rwyt ti'n gwneud camgym-eriad mwyaf dy fywyd," meddai wrtho ar ei ben.

Pan ddaeth Ifan Foty a Wil Bach Drws Nesaf adref ryw dro tua dechrau'r rhyfel fe daflodd Ifan garreg drwy ffenest llofft y Conshi. A chwarae teg iddo, gwrthododd Puw Plisman yn lân â gwneud dim o'r peth.

"Chwarae teg, yr hen hogia," oedd ei eiriau wrthynt, a hynny â gwên ar ei wyneb. "Fi sydd i

fod i gadw'r heddwch ac mae'r hen ddynas 'i fam o yn gweiddi am waed rhywun.''

"Biti na fyddai'r garreg wedi ei daro yn 'i ben ddyweda' i,'' meddai Robin Glo, oedd yn digwydd bod yn ymyl. "Mae'r ddau yma'n gwneud eu rhan yn ymladd dros eu gwlad, a'r Dafydd yna yn 'i sgwandro hi fel lord hyd y pentra yma.''

"Dim dweud fod yr hogia wedi gwneud dim byd o'i le yr ydw i,'' meddai Puw. "Ond 'rydach chi wedi fy rhoi i mewn lle cas. Os ydach chi isio gwneud rhywbeth, cerwch â fo i ben y mynydd i rywle, a rhowch gythral o gweir iddo y bydd o yn cofio amdani, cyn belled oddi yma fel na fydd neb yn eich gweld chi.''

Wn i ddim pwy roddodd gweir arall iddo, mewn gwirionedd, ond bu ganddo ddau lygad du am bythefnos wedyn.

Yr unig un oedd yn siarad ag o oedd Mr Huws y Gweinidog ond fe ddywedodd yntau wrth mam yn ddistaw bach mai dim ond gwneud hynny yn rhinwedd ei swydd yr oedd, a'i bod hi'n anodd cael athrawon ysgol Sul, wedi mynd, a'r bechgyn i gyd i ffwrdd. Felly 'roedd yn rhaid iddo dderbyn unrhyw un fyddai'n fodlon ymgymryd â'r swydd.

"Wel, os daw hwnna yn ditsiar ysgol Sul,'' meddai Mam wrtho, heb flewyn ar ei thafod, "fydd yr un o 'mhlant i yn twllu'r lle i chi, Mistar Huws. 'Rydach chi'n Gristion i fod ac yn mynd i adael i hen 'sglyfath fel yna ddysgu plant rhywun. Rhag ych cwilydd chi, a chitha'n weinidog yr Efengyl hefyd.

"Dydi Dafydd ddim ffit i ddim. Wnaiff o ddim

127

ymladd dros ei wlad a 'dydi o'n meddwl am ddim ond am achub ei hen groen diwerth ei hun."

Ond fe achubodd groen Joseff y noson honno, beth bynnag.

"Dafydd Conshi, cachgi, cachgi," gwaeddodd y tri ohonom gyda'n gilydd nes bod ein lleisiau'n atsain yng ngherrig yr hen Domen Fawr.

Chymerodd Dafydd yr un sylw ohonom ni, dim ond cerdded yn hamddenol i lawr y ffordd, ei ddwylo yn ei bocedi.

"Babi, babi! Gormod o fabi i fynd i'r rhyfel," meddwn i ac yntau yn ein cynddeiriogi wrth beidio â chymryd yr un sylw ohonom.

Cododd Tomi dywarchen fawr oddi ar ben y wal a'i thaflu ar ei ôl, a throdd yntau rownd yn sydyn pan glywodd ei sŵn yn torri'n ddarnau ar y ffordd wrth ei draed. Fel yr oedd yn troi, glaniodd yr un deflais i yng nghanol ei wyneb.

Cychwynnodd redeg ar ein holau ond wedi iddo wastraffu amser yn hel pridd o'i lygaid, 'roedd y tri ohonom wedi llwyr ddiflannu. Ond ar ei ffordd adref y noson honno daeth Robat John ar ei draws a bu Dafydd wrthi am bum munud cyfan yn ei ffustio yn ei ben nes ei fod yn hollol hurt.

Wrth i ni gerdded i'r Seiat nos Wener fe ddywed-odd Anti Sal wrth ei dad faint oedd tan y Sul.

"Dwêd ti wrth y tipyn hogyn yna sy' gin ti nag ydi o ddim i sychu 'i hen ddwylo yn Robat John eto neu mi fydda i yn gafael yn 'i wegil o," meddai.

"Howld on!" meddai Ifan Jôs yn hamddenol. "'Dydi Robat John ddim yn angel i gyd, ysti. Ac

128

mae'n anodd iawn i'r hogyn acw ddiodda a rhyw gywion fel rhain yn lluchio cerrig ac yn gweiddi petha ar ei ôl o."

"Dyna i ti gelwydd noeth i ddechra," oedd ateb parod Anti Sal. "Tywyrch, nid cerrig, oeddan nhw yn luchio a phetaet ti'n gofyn i mi, 'doedd o yn cael dim byd ond ei haeddiant."

"Wel, ia." 'Roedd Ifan Jôs yn ddyn rhy gall a thawel i ffraeo â neb. "'Rydan ni'n 'nabod ein gilydd ers gormod i fynd i ffraeo ar gownt y peth, Sal bach. Mi ddweda' i wrtho . . ."

"Paid ti â 'ngalw i yn Sal bach." Nid oedd Anti Sal yn gymeriad mor dawel, a'i gwrychyn wedi codi. "Petae o yn mynd i'r Armi fel pob hogyn call arall, fyddwn i yn dweud dim, ond mae o yn codi cyfog ar bobl y pentra yma, i ti gael gwybod, yntê, yr hen gonshi cythral iddo fo, yn disgwyl i bawb arall gwffio drosto fo . . ."

"Cydwybod yr hogyn sy'n 'i stopio fo. Dydi o ddim yn . . ."

"Paid ti â siarad ar 'y nhraws i, Ifan Jôs. 'Rydan ni yn gwybod be' sy' ar Dafydd Bach. Mae o'n ormod o gachgi, dyna'r gwir. A 'dydw i ddim isio siarad efo chdi na'r un o dy deulu di eto, dallt di." Ond wrth ein bod wedi cyrraedd drws y festri, fe gaeodd ei cheg.

Dywedodd Robat John yr hanes wrth Idris Felin Isaf drannoeth a thalodd Idris y pwyth yn ôl i'r conshi, drwy dynnu olwyn flaen ei feic tra oedd yn y seiat, a'i thaflu i waelod Twll Coch. Fe gostiodd dri darn o Spitffeiar i Robat John, ond teimlai ef ei fod wedi cael bargen.

Pan ddaeth yr eira mawr, ni fedrodd yr un ohonom fynd i'r ysgol am ddau ddiwrnod. 'Roedd dros ein hesgidiau wrth i ni gerdded ar draws y caeau i sglefrio ar Lyn Corddi ond yr oedd gormod o hogiau'r pentref yno o'n blaenau i ni gael hwyl iawn. Ymhen hanner awr blinwyd ar luchio peli eira ar ôl y merched hefyd, ac ar ôl gwneud tri dyn eira ar ganol y ffordd fawr, aethom am adre.

"Hei, lle 'rydach chi wedi bod?" 'Roedd golwg wedi rhusio yn lân ar Tomi wrth iddo redeg i'n cyfarfod. "Mae yna ddau 'Talian yn Gelli Plas."

"'Talians?" gofynnodd Robat John yn wyllt. "Ond 'rydan ni yn cwffio yn erbyn y rheiny. Ffrindiau'r Jyrmans ydyn nhw."

"Carcharorion ydyn nhw, siŵr. Mae 'na lond camp ohonyn nhw yr ochr arall i'r dre'."

"Be' maen nhw yn 'i wneud yma 'ta? Ydyn nhw'n beryg?"

"Os mai rhai fel yna sydd yn cwffio yn ein herbyn ni, hogia," atebodd Tomi gan godi llond dwrn o eira a'i daflu at gorn y tŷ, "fyddwn ni fawr o dro yn ennill y rhyfal. Mae'n nhw'n cael eu gyrru allan i weithio ar ffermydd heb ddim sowldiwrs na neb yn edrach ar eu hôl, dim ond lori yn dŵad â nhw yn y bore a dŵad i'w nôl nhw wedyn gyda'r nos. Maen nhw'n hollol saff ac yn

130

meddwl am ddim ond am gael mynd adre ar ôl i'r rhyfal orffen, medda'r dyn sy'n eu dallt nhw."

"Ydyn nhw'n siarad Seusnag?"

"Dim gair, bron."

"Be' ydi eu henwa' nhw?"

"Welo a Mario," meddai Bili wedi meddwl am funud.

"Nefoedd, am enwa! Enwa merched ydi rhai fel yna. Merched ydi'r 'Talians i gyd, os wyt ti'n gofyn i mi," meddai Robat John.

Ni welais unlle mor ddigri â chegin Gelli Plas y prynhawn hwnnw. 'Roedd y ddau Eidalwr yn eistedd wrth y bwrdd mewn dillad brown, trwchus a chotiau mawr wedi eu cau i'r goler amdanynt, a Mrs Wiliam yn cario bwyd iddynt. Eistedd wrth danllwyth o dân yr oedd Dafydd Wiliam, yn poeri baco bob hyn a hyn i'r simdde, a ninnau'n tri, a Jeni, yn sefyll fel pedwar llo o gwmpas y bwrdd yn rhythu ar y carcharorion.

Siaradai'r ddau'n wyllt yn eu hiaith eu hunain a ninnau heb ddeall yr un gair, ond weithiau edrychai Mario arnom ac yna chwarddai a gweiddi, *'Bambino! Bambino!'*

Un sur oedd Welo, y talaf o'r ddau. Edrychai'n gas ar bawb a gwthiai ei blât oddi wrtho heb gyffwrdd â'i fwyd, a Mario, rhyw bwtyn bychan, gwallt cyrliog, yn pigo ei fwyd fel pe bai ofn cael gwenwyn ynddo.

"Mi fyddan wedi'n lladd ni i gyd, gewch chi weld," ebe'r hen wraig yn gwynfanus. "I be' maen nhw'n gyrru petha fel hyn yma, deudwch? 'Dydw i ddim yn meddwl eu bod nhw erioed wedi gweld buwch, ychi. Oes 'na bethau felly yn Itali? Dweud wrthyn nhw am fwyta, Dafydd. 'Dydi'r mawr yna ddim wedi twtsiad yn ei fwyd.''

"Eat, eat," meddai Dafydd Wiliam, gan wneud osgo bwyta a chnoi baco yr un pryd.

"No good, no good," meddai Welo yn chwyrn yn ei wyneb.

"'Dydyn nhw ddim yn licio tatws popty," eglurodd Dafydd Wiliam i'w wraig. "Wyddan nhw ddim be' ydi bwyd da yn Itali, ysti. Malwod a llyffantod a phetha' felly maen nhw'n fwyta yno.''

"Ffrainc," meddai Robat John ar ei draws.

"Itali'r penci," ebe Dafydd Wiliam. "O Itali mae 'Talians yn dŵad. 'Dydyn nhw ddim yn dysgu dim i chi yn yr ysgol yna, dywad? Mae pob ffŵl yn gwybod mai o Itali mae 'Talians yn dŵad.''

"Be' sy' arnyn nhw, deudwch?" gofynnodd ei wraig. "Efo'r cotiau mawr yna. Mae golwg yr un fath â tasa annwyd arnyn nhw. 'Dydyn nhw ddim yn cario rhyw afiechyd o'r hen wledydd poeth yna i fan yma, gobeithio. Mae yna bob math o hen jyrms yno, meddan nhw. Mi fu hogyn Lisi fy chwaer yn ei wely am fis wedi bod yno unwaith. Ei ddau ben o yn mynd yn ddi-stop wedi iddo fwyta eu hen fwyd nhw.''

"Ond wedi dŵad o le poeth y maen nhw, yr hurtan wirion," meddai Dafydd Wiliam, yn dechrau colli ei dymer.

Cododd yn sydyn ac amneidio ar ei ddau was newydd i'w ddilyn. Aethom ninnau ar eu holau, a Mario yn rhoi ei law ar fy mhen a dweud *'Bambino!'* a gwenu.

"Carthu," meddai Dafydd Wiliam, yn cyrraedd y beudy ac yn rhoi rhaw i un a brws bras i'r llall.

"Mae'r hen beth mawr yna'n ddiog fel mul," ychwanegodd wrth fynd i bwyso ar y rhesel i edrych ar y ddau'n gweithio.

Wedi syllu'n ddigon hyll arno am eiliad, penderfynodd y ddau mai gweithio oedd yr unig ffordd i gadw'n gynnes a buan iawn yr oedd llawr y beudy mor lân fel y medrai rhywun yfed dŵr oddi arno.

Ond byr iawn fu arhosiad y ddau yn Gelli Plas. Yn ôl Dafydd William, yr oedd Welo yn rhy ddiog, yn gwneud dim ond gorweddian yn y gwair yn y beudy i freuddwydio am yr haul. Ac 'roedd Mario yn rhy wyllt o lawer ac yn mynd i'r Gors Bach i ddal sliwod a mynd â nhw i'r tŷ i'w blingo ac yna'n gwylltio'n gacwn am i'r hen wraig wrthod eu berwi iddo.

"Mae'r hen 'sglyfath yn codi pwys arna i," meddai wrth Dafydd Wiliam. "A mae o'n troi ei drwyn ar betha da fel potas a stwnsh rwdan. A sôn am wyllt! Mae o fel matsian pen coch, a wyddost ti ar y ddaear pa bryd y mae o'n mynd i ffrwydro a'n lladd ni i gyd."

Pan ddaeth hi'n amser teilo yn y gwanwyn, daliodd Dafydd Wiliam Welo yn y das wair yng nghesail Magi Lisi, drws nesaf. Eto, nid dyma'r achos iddo orfod hel ei draed yn y diwedd, ond gwylltineb ei gyfaill.

Bu'n bwrw glaw drwy'r dydd a dim posib gwneud gwaith allan ar y buarth a'r caeau. Yn hytrach na gadael i bedair bôn braich fod yn segur am y prynhawn, penderfynodd Dafydd Wiliam fynd i wyngalchu'r beudy i guddio'r misoedd o dail oedd hyd y waliau. Medrai unrhyw ffŵl weld oddi wrth wyneb Mario nad oedd yn ei hwyliau gorau, wrth iddo ddal gwaelod yr ysgol, i'w chadw rhag llithro ar lawr llithrig y beudy tra oedd Dafydd Wiliam yn gwynnu'r to.

"Deffra, Mario, wnei di," gwaeddodd y ffermwr. "Sbia fel tasat ti yn meddwl dal yr ysgol yna'n iawn ac anghofia am y Mwsolini gythral yna am eiliad."

'Roedd llais ei feistr newydd neu enw ei hen un yn ddigon i arwain Mario ar ddisberod y prynhawn hwnnw.

"Bloody boss, no good!" meddai a cherdded yn syth o'r beudy gan adael i'r ysgol lithro'n boenus o ara deg, fel rhywbeth allan o ddarn o ffilm wedi ei harafu.

Cyn bod Mario wedi cyrraedd y buarth, yr oedd Dafydd Wiliam a'i bwced yn un grempog wen yn y preseb, ac yn fy holl fywyd, welais i erioed ddim byd tebycach i ddyn eira lloerig.

Dywedodd Dafydd Wiliam ar ei ben wrth yr awdurdodau nad oedd am weld y ddau yno wedyn, ac wedi iddo gael merch ganol oed mewn clos pen-glin yn eu lle bu tymer ragorol arno hyd ddiwedd y rhyfel.

PENNOD XVII

Gwyddai pawb fod y rhyfel drosodd cyn i'r ergyd olaf gael ei saethu. Dywedodd y llais ar y weiarles y byddai'r milwyr yn rhoi'r gorau i ymladd ymhen diwrnod ac mai ni oedd wedi ennill. Fedrwn i ddim gweld synnwyr mewn dal i ymladd am ddiwrnod arall a phawb yn gwybod pwy oedd wedi ennill, ond felly y bu yn amser y Rhyfel Cynta hefyd, meddai Nain.

Nid oedd ysgol ar y diwrnod mawr a phawb wedi rhoi baneri ar draws y ffordd ym mhob man, ac wedi eu crogi o bob ffenest llofft a pholyn lein. Cafodd Mam afael ar hen ffrogiau haf a gwnïodd ddarnau ohonynt wrth ei gilydd i wneud baner enfawr o goch a glas a gwyn a'i gosod yn urddasol ar ben y Domen Fawr.

Cyn i ni ymadael â'r ysgol y diwrnod cynt, aethai pawb i'r neuadd i ganu, *'There'll always be an England,'* a gweiddi 'Hwrê!' dair gwaith am fod Duw wedi cadw'r brenin yn fyw ac yn iach hyd ddiwedd y rhyfel.

Wedi i mi gyrraedd adref yr oedd Nain wedi gwneud crempog i de â'r siwgr fu hi'n ei gadw i wneud cacen i'w hanfon i Huw, fy mrawd. 'Rwy'n siŵr ei fod o yn wallgo am i'r cwbl orffen mor ddiswta, a hynny cyn iddo gael cyfle i ladd yr un Jyrman. Mis oedd ers pan ymunodd â'r Er Ffors ac nid oedd wedi gorffen dysgu ymdeithio'n iawn.

'Roedd merched y ffatri i gyd hyd y pentre, yn cerdded fraich ym mraich i lawr y ffordd, yn canu a chwerthin a gwrthod yn glir â symud oddi ar ffordd y bws dri o'r dref. Agorodd dyn y King's Head ei dafarn ynghynt nag arfer er mwyn iddynt gael mynd yno, yn lle eu bod yn rhwystro trafnidiaeth ar y ffordd, ac am unwaith yn ei fywyd ni ddywedodd Puw Plisman yr un gair yn groes. Dyma'r tro cyntaf erioed iddo hefyd, yn ôl ei air ef ei hun, yfed yn y King's Head yn ei ddillad glas.

Drannoeth, y diwrnod y bu i'r rhyfel orffen yn swyddogol, nid oedd yr un siop, nac ysgol, na ffatri, na chwarel ar agor, a thrwy'r dydd bu'r dynion yn torri coed a'u cario i ben y Domen Fawr i wneud coelcerth enfawr. Cariai Lori Ifans Cariwr y cwbl i waelod y Domen ac yna ni'r plant yn eu cario i'w phen a'u gosod ar ei gilydd nes bod y pentwr cyn uched â thŷ gwair Dafydd Wiliam. A chwarae teg i Arthur Stiward. Dywedodd wrth y dynion am fynd i bonc uchaf y chwarel a daeth y lori â llond dwy gasgen o olew budr i'w roi ar y goelcerth i wneud yn siŵr y byddai'n llosgi'n iawn. Gwnaeth Ifans yr Ysgol ei ran hefyd drwy anfon y lori i'r ysgol i nôl y papur fu yno ers dechrau'r rhyfel yn disgwyl rhywun i'w gyrchu i ennill y frwydr.

'Roedd hi'n dywyll fel y fagddu pan ddywedodd Mistar Huws y Gweinidog weddi fer ar ben y domen a dal matsien ym môn y goelcerth. Daeth pob copa walltog o'r pentref a'r wlad oddi amgylch yno, a Dic Bach Bwtsiar wedi meddwi, yn gafael yn llaw'r gweinidog ac yn dechrau dawnsio o gwmpas y tân. Ac er nad oedd Dic yn mynd yn agos i Seion ers blynyddoedd, fe ddawnsiodd Huws gydag ef yn llawen.

Te parti i'r plant oedd y prif atyniad y prynhawn canlynol. Yn y festri yr oedd i fod, ond gan ei bod yn haul braf penderfynwyd bwyta ar y cae chwarae a chael mabolgampau ar ei ôl. Fe gefais i chwecheiniog am ddod yn gyntaf yn y ras mewn sach.

'Roedd Magi Lisi Drws Nesa yno hefyd, yn dawnsio ag un o'r milwyr o Laniago ac un o'r Eidalwyr oedd yn gweithio yn Llys Ifor, un ym mhob braich iddi, pan ddaeth Puw Plisman yno a dweud, "Mae dy fam isio i ti fynd adra ar unwaith, Magi Lisi." 'Rwyf yn berffaith siŵr mai ef oedd yr unig un yn y cae heb wên ar ei wyneb y foment honno.

"'Dydw i ddim yn mynd adra nes y bydda' i wedi gorffen enjoio fy hun, Puw," oedd ei hateb, yn lluchio ei breichiau am ei wddw a rhoi cusan ar ei foch. "Mae'n deg i mi gael dipyn o hwyl heddiw a minnau wedi gweithio'n galed ar hyd yr hen ryfal yma."

"Lle ddiawl mae hi wedi bod?" gofynnodd Puw i'r milwr. "Mae ei gwynt hi'n drewi fel casgen gwrw. Un gusan gin hon ac mi fydda' rhywun yn chwil gaib."

"Chwarae teg iddi," meddai yntau a'i dafod yn dewach na thafod Magi Lisi. "Mae gin pawb hawl i gael tipyn o hwyl heddiw."

"Hwyl, wir," gwaeddodd Puw wrth sychu ei foch. "Wel dwêd ti wrthi fod yr hen wraig wedi cael teligram arall. Mae Wil Bach wedi marw yn y jyngl ac wedi ei gladdu ers deng mis."

Aeth pob man yn dawel fel y bedd am funud, oni bai am sŵn Arthur yr Efail, oedd heb glywed neges Puw, yn morio canu, 'Pwy fydd yma 'mhen can mlynedd' ym môn y clawdd yng nghongl y cae.

"Wedi marw? Ond fedar o ddim bod wedi marw. 'Doedd o ddim yn cwffio," meddai Magi Lisi, yn sobri mewn eiliad.

"Wel, dyna mae'r teligram yn 'i ddweud, ac mae'n well i ti fynd adra at dy fam. Mae'r hen wraig wedi torri ei chalon yn lân."

Fe aeth rhywun â hi adref, rywsut, ac ar ôl iddi fynd nid oedd blas ar yr hwyl mwyach. I orffen dathlu'r heddwch aeth pawb i'r ffordd o flaen y King's Head i weld cariad Magi Lisi yn rhoi cweir i'r Eidalwr o Lys Ifor am fod milwyr Siapan wedi lladd ei brawd.

"Dim ond i ti gael gwybod mai ni sy' wedi ennill," meddai'r milwr, gan sychu'r gwaed oddi ar ei figyrnau ym mhen-ôl ei drowsus, wrth i'r llall godi ei ddannedd o'r gwter fesul un ac un.

Yna ysgydwodd y ddau law ar ganol y ffordd i ddangos fod y rhyfel wedi gorffen go iawn.

PENNOD XVIII

Mae'r milwyr i gyd wedi mynd adref o Laniago ac maent wedi codi'r ffrwydriadau a gwerthu'r wifren bigog oedd ar y traeth i un o'r ffermwyr, er mai yno ar lan y môr y mae hi o hyd, yn bentwr rhydlyd. Nid oes un awyren ar ôl yn y maes awyr erbyn hyn, ond mae fy nhad yn dal i weithio yno, yn edrych ar ôl yr hen le nes y bydd popeth wedi ei gario oddi yno a'r giatiau wedi eu cau am byth.

Pobol o Lerpwl ddaeth i fyw i'r gwersyll Carcharorion Eidalaidd ar gwr y dref. Wedi i'r Eidalwyr fynd adref fe wnaed y cytiau isel yn dai dros dro i rai oedd heb gartrefi yn y ddinas fawr. Llond y lle o bethau yr un fath â'r ifaciwî ddaeth i dŷ Anti Sal yn nechrau'r rhyfel, yn ôl fy nhad. Bu ffatri'r pentref ar gau ers rhyw fis ar ôl y rhyfel ond mae rhyw si ar led fod pobl gwneud crysau o Lundain am ddod yno'n fuan.

Mae Tomi wedi gwrthod yn glir â mynd adref yn ei ôl. Yma mae ei gartre yn awr, meddai ef, ac fe gafodd lond bol ar ei fam a'i Wncwl Jim cyn y rhyfel. Ond bydd Jeni yn mynd, cyn gynted ag y bydd ei mam yn anfon arian tocyn y trên iddi. Merch tre ydy hi yn y bôn, ac mae'n well ganddi gysgu mewn un gwely gyda'r lleill yn Lerpwl nag aros yma yn ferch y wlad.

"Mi fyddwn ni'n cael tŷ newydd sbon, rŵan," meddai. "Mi fydd pawb yn Lerpwl yn cael tŷ
139

newydd ac mi fydd rhaid i'r hen Jyrmans yna dalu amdanyn nhw."

Gofynnodd i mi fynd i Lerpwl i chwilio am waith wedi i mi ymadael â'r ysgol yr wythnos nesaf ond heb benderfynu 'rydw i ar hyn o bryd. Mae un rhan ohonof yn wyllt am fynd yn ddigon pell o'r pentre 'ma a'r rhan arall yn gweiddi am gael aros.

Heno mae'r ddau ohonom yn eistedd ar y tywod yn Llaniago yng nghysgod y creigiau sy'n rhedeg i lawr i'r traeth. Wrth i ni gerdded yma wnaeth hi ddim ceisio tynnu ei llaw i ffwrdd wrth i mi afael ynddi.

Medrwn aros yma am byth. Mae'r tywod yn boeth dan ein traed ar ôl gwres haul y prynhawn ac mae sŵn y tonnau'n torri ar y cerrig mân yn gwneud i mi deimlo yn hanner meddw. Fûm i erioed yn teimlo fel hyn o'r blaen wrth edrych i fyw ei llygaid, ac ni sylweddolais o'r blaen eu bod mor las a llawn bywyd. Mae hi'n synfyfyrio'n hir i'r môr ac yn codi llond dwrn o dywod mân a gadael iddo redeg rhwng ei bysedd.

"Mi fydd yn chwith i mi ar ôl yr hen le 'ma," meddai'n ddistaw. "Mi fydd gin i lawer o hiraeth a 'rydw i'n gwybod y bydda' i'n crio pan ddaw yr amser i mi fynd adra."

"Paid â mynd, 'ta. Mi gei aros yn Gelli Plas." Mae rhyw lwmp rhyfedd yn gwrthod yn glir â symud o fy ngwddf wrth i mi afael yn dynnach yn ei llaw.

"Mae'n rhaid i mi fynd," meddai yn ddistawach ac mae'n edrych ar y llawr o'i blaen. "Fydd petha byth yr un fath eto."

"Wrth gwrs y bydd popeth yr un fath, Jeni. 'Does yna ddim byd wedi newid ond bod y rhyfel drosodd."

"Na, Emyr mae pawb wedi newid, ysti, ac wedi i ni i gyd fynd adra, mi gei di weld 'mod i'n iawn."

Fedra i ddweud dim, na gwneud dim, ond gwasgu ei llaw yn dynnach eto, ac yna yn crynu fel deilen, rhoddaf fy mraich amdani. Nid yw'n ceisio symud oddi wrthyf.

Mae blas taffi ar ei cheg wrth i'n dannedd ni gyffwrdd ond dyma'r gusan orau gefais i yn fy mywyd. 'Rydw i'n llithro ar fy hyd i'r tywod a'i thynnu ar fy ôl. Mae hi'n drwm wrth iddi wasgu ei holl bwysau arna i, ond fedra i wneud dim rhag ofn iddi godi.

"Mi fydda i'n dy golli di'n ofnadwy, Emyr," yn tynnu ei llaw drwy fy ngwallt. "'Rydw i'n teimlo fel pe baet ti wedi bod hefo mi 'rioed. Tyrd i Lerpwl i weithio."

"Wn i ddim."

Mae'n anodd anadlu a medraf deimlo gwres ei chorff ifanc drwy ei ffrog haf, denau yn ymwthio tuag ataf. Wrth gau fy llygaid medraf weld y corff plentynnaidd noeth o hyd a theimlo ôl ei llaw ar fy wyneb, ond mae Jeni, fel popeth arall, wedi newid.

"Mae yna fwy i'w wneud yn Lerpwl, ysti, a mwy o hwyl i'w gael. Ddoi di?"

Heibio i'w hysgwydd medraf weld lleuad llawn yn gwenu arnaf dros ochr y clogwyn. Mae pob man yn ddistaw fel y bedd, heb sŵn ond sŵn ysgafn y tonnau a sŵn anadlu trwm, wrth i'w cheg nwydus gau am fy ngwefusau a minnau'n rhwbio fy llaw yn dyner ar hyd ei chefn a chofio am Magi Lisi yn gorwedd dan yr hen dderwen, mor bell yn ôl, bellach.

"Wyt ti'n coelio mewn cariad?" meddai hi'n sydyn, gan rowlio oddi arnaf a gorwedd yn dynn wrth fy ochr.

"'Rydw i'n dy garu di yn fwy na dim, Jeni."

"Wyt ti'n meddwl ein bod ni'n rhy ifanc?"

Yn lle ateb 'rwyf yn gafael amdani a'i gwthio yn ôl ar y tywod. Mae ei ffrog yn codi, a'i choesau'n wyn yng ngolau'r lleuad. Mae pob man yn olau fel dydd ac mi fedraf weld yr hen wifren bigog yn un pentwr blêr ychydig droedfeddi oddi wrthym.

'Rwy'n syllu i fyw ei llygaid hi'n hir, a'm holl gorff fel petai'n ymdoddi wrth iddi fy ngwasgu ati. Mae ei chluniau noethion yn llyfn fel melfed wrth i mi eu rhwbio'n araf tra mae hithau'n brysio i agor y ffrog haf ar ei hyd.

A gwn yn iawn ei bod hi'n dweud y gwir. Fydd pethau byth yr un fath eto—byth.